KB196772

금융
영업
트렌드

2021

금융 영업 트렌드

2021

위 기 를   기 회 로   바 꿀   뉴 노 멀   영 업   전 략

권인규, 김승동, 이동재, 이종헌, 정성훈 지음
공민호 엮음

C O N T E N T S

1장

보험 산업 트렌드

1부 · 2020년 돌아보기
코로나19보다 무서운 저금리의 도래

2장

보험 상품 트렌드

2부 · 2021년 미리 보기
새로운 시장은 언제나 있기 마련이다

3짱

투자 상품 트렌드

1부 · 2020년 돌아보기
팬데믹에서 동학개미운동까지

4장

부동산 시장 트렌드

1부 · 2020년 돌아보기
부동산과의 끝없는 전쟁

2부 · 2021년 미리 보기
똑똑한 1채 시대, 부동산 가격은 어디로?

5장

VIP 마켓 트렌드

1부 · 2020년 돌아보기
CEO 플랜의 종말, 다시 뜨는 종신보험

2부 · 2021년 미리 보기
뻑뻑해지는 세금 정책, 출구는 어디인가?

변화에 앞서 건투를 빌다

2020년을 한 단어로 표현하면 '거리 두기'다. 신종 코로나바이러스 감염증으로 발생한 '사회 현상'이 한 해를 관통했다. 길어봐야 수개월에 그칠 것이라는 예측과 달리 감염병 방역 이슈는 지금도 계속되고 있다. 2021년은 코로나가 촉발한 변화가 본격화하는 한 해가 될 것이다.

지금까지 자동차보험을 제외하면 보험 상품 대부분은 대면 채널에서 판매되었다. FP가 어떤 고객을 만나 어떻게 설명하는가에 따라 판매가 달라진다. 이에 보험사는 각각의 FP에게 적절한 고객 접점을 찾는 법과 그에 따른 설명 방법을 교육해 왔다. 다시 말해 보험사 교육은 FP에 집중되어 있었다. FP가 상품을 판매한다는 사실을 누구도 부정하지 않았다. 기술은 이미 보험 FP가 상품을 컨설팅하고 계약에 관여하지 않아도 될 정도로 발전해 있었다. 하지만 보험사도 소비자도 보험은 당연히 FP에게 상담을 받고 가입해야 한다고 생각했다. 기술이 판매 채널에 파고들 틈이 보이지 않았다. 아무리 기술이 좋아도 관련 산업과 구매자의 인식을 변화시키지 못했던 것이다.

그런데 코로나 때문에 판매 채널에 틈이 발생했다. 새로운 이슈들이 조금씩 그 틈을 비집고 나올 것이다. FP의 상담보다 더 객관적인 분석이 쏟아지기 시작했다. 이를 통해 정확한 컨설팅이 가능해진다. 이슈가 커지면 변화는 걷잡을 수 없을 것이다. 틈을 만든 것은 코로나였지만, 변화는 기술에서 시작될 것이다.

이미 대다수 FP가 보험사 혹은 금융 플랫폼 회사에서 개발한 보장분석 프로그램을 사용한다. 고객 정보를 입력하고 이미 가입한 보험이나 연령·소득에 비해 넘치거나 부족한 부분을 확인한다. 이를 토대로 컨설팅을 진행한다. 일부 고능률 FP나 보상 등 특정 컨설팅을 제외하면 사실상 보장분석 프로그램을 빼놓고 보험 판매 시장을 이야기할 수 없을 정도다. 하지만 이제부터는 고객이 직접 보장분석 프로그램을 이해하기 시작할 것이다. 보험사 역시 FP 이외에 일반 보험소비자를 교육하기 위한 준비를 시작할 것이다.

이미 2030 밀레니얼 세대는 점원을 통한 주문보다 키오스크Kiosk (공공장소 등에 설치된 터치스크린 방식의 정보전달 시스템) 사용을 더 선호한다. 아니 키오스크보다도 스마트폰 활용을 더 선호한다. 무언가를 살 때는 오프라인보다 온라인 쇼핑을 주로 이용한다. 오프라인 매장은 그저 주문한 상품을 가지러 가기 위한 곳에 불과하다. 스타벅스의 사이렌 오더, 마켓컬리의 새벽 배송 등이 대표적이다.

　은행 역시 스마트폰으로 거의 모든 거래를 끝낸다. 실제 현금이 필요하거나 부동산 거래 등 대출이 발생하는 중요 이슈가 있을 때만 은행을 방문한다. 이미 스마트폰 하나면 금융 거래 대부분이 가능한 실정이다. 다만 보험은 '어렵다'는 인식 탓에 온라인 판매의 확장성이 더뎠다. 어렵기 때문에 전문가인 FP를 만나 상담하고 가입해야 한다고 인식했던 것이다.

　2021년에는 카카오와 네이버로 상징되는 빅테크 기업이 보험 산업에 본격적으로 뛰어들 예정이다. 카카오는 디지털 손해보험사 예비인가를 신청했고 진출을 앞두고 있다. 네이버도 자동차보험 비교 등으로 시장 진출을 노리고 있다. 이들이 2030 세대에게 보험에 대한 새로운 가입·지급 경험을 제공할 것이다. 가령 플랫폼에서 자전거나 전동 킥보드를 대여하면 자동으로 보험에 가입된다. 만약 사고가 발생하면 카카오페이 또는 네이버페이로 30만 원 등 정액의 보험금이 지급된다. 보험은 목돈 마련이나 생애주기 같은 거창한 개념이 아니라 일상에 밀접한 '생활 속 서비스'로 인식되기 시작할 것이다.

　금융 플랫폼에서 판매하는 보험은 구조가 간단하면서 생활에 밀접한 상품에서부터 침투해 들어올 것이다. 일명 '비니보험'(비대면, 미니보험)의 활성화다. 점차 질병이나 생명에 관련된 부분까지 접목될 것이며, 어느 순간 FP가 경쟁력을 갖출 수 있는 부분은 줄어들 것이다.

지금까지는 이런 상황 변화를 예측만 하는 시기였다면, 이제부터는 눈으로 확인하게 될 것이다. 게다가 보험설계사를 더욱 위기로 몰아넣을 고용보험 당연가입제 도입과 보험 사업비 개편도 시작된다. 가속도가 붙을 보험 시장 변화에 휩쓸려 나가지 않으려면 그 핵심을 파악해 적절한 준비를 해야 한다.

50만 보험인 모두 건투를 빈다.

다섯 명의 공저자를 대표하여 김승동

1

보험
산업
트렌드

2020

김승동

2021

2020년 돌아보기
: 코로나19보다 무서운 저금리의 도래

1. 코로나, 언택트 시국에도 역시 인택트!
FP 위상 여전

2020년은 신종 코로나바이러스 감염병(코로나19)을 빼놓고 얘기할 수 없다. 중국에서 시작된 감염병은 전 세계로 확산됐다. 중국과 지리적으로 가까운 우리나라도 예외가 될 수 없었다. 2월 중순부터 급속도로 확산이 시작됐고, 3월부터는 공황 상태였다고 해도 과언이 아니다.

고객을 직접 만나 영업을 해야 하는 보험업은 문제가 커졌다. 보험업법 제95조2(설명의무 등)와 동법 감독규정 제4-35조의2(보험계약 중요사항의 설명의무)에는 '모집종사자는 보험계약자와 직접 대면하여 보험계약의 중요사항 등을 설명할 것'이라고 명시되어 있다. 즉, FP기 상품을 팔려면 무조건 1회 이상 직접 만나 상담을 진행해야 한다는 뜻이다. 하지만 전염병인 코로나19의 특성상 대면 상담은 힘들어졌다.

언론 매체는 3월부터 비대면을 뜻하는 '언택트'를 본격적으로 강조하기 시작했다. 보험 산업도 예외가 아니었다. 보험설계사 중심에서 언택트가 가능한 온라인 등으로 판매 채널이 급격하게 이동할 것이라는 분석과 전망이 쏟아졌다. 하지만 이런 분석은 빗나갔다.

2020년 상반기 기준 모집형태별 초회보험료를 보면 생명보험사는 총 3조 4,623억 원을 거둬들였다. 이 중에서 FP 등 대면 영업으로 발생한 초회보험료가 3조 4,145억 원으로 전체의 98.6%를 차지한다. 전화 가입이나 온라인 완결 상품 등 비대면 채널을 통한 초회보험료는 고작 1.4%(TM 1.2%, 온라인 0.2%)에 불과하다. 손해보험사도 크게 다르지 않다. 여전히 보험 영업 시장에서는 언택트보다 인택트가 중심이라는 반증이다.

보험사는 영업의 중심이 FP 채널이라는 사실을 누구보다 잘 인지하고 있다. 이에 코로나19로 인한 FP의 영업활동 위축을 최소화하도록 노력했다. 코로나19 확산이 본격화한 지 1개월도 되지 않았던 3월 초에 이미 각 보험사들은 생명·손해보험 협회를 중심으로 FP의 비대면 영업이 가능하도록 한시적인 규제 완화를 건의했다. 즉, 금융당국에 비조치의견서를 요청한 것이다.

비조치의견서는 금융기업이 영업 등 특정 행위를 시행하기 이전에 해당 행위가 관련법에 위배되더라도 금융당국이 제재를 하지 않겠다는 확약을 받기 위한 제도다. 대면 상담이 원칙이지만, 코로나19 확산 방지를 위해 일시적으로 비대면 상담을 통한 신규 계약 체결을 허용해 달라고 요청했다. 금융위원회는 보험 협회의 건의를 받아들여 2020년 3월 18일 정례회의에서 '한시 적 완화' 조치를 허가했다. 코로나19가 경계나 심각 상황이면 FP 의 비대면 영업을 허용하겠다는 의미다.

하지만 금융당국의 비조치의견과 코로나19 심각 단계에도 대부분의 보험사는 여전히 대면 상담 원칙을 고수하고 있다. 보 험설계사가 언택트 방법(전화·온라인 메시지 등)으로 ▲약관 등 서류 전달 ▲자필 서명 ▲상품 설명 같은 계약 시 3대 의무사항 을 완벽하게 이행했음에도 최종 단계에서는 대면 상담 여부를 묻는 '경고창'이 뜨기 때문이다. 이 경고창에 '대면 후 충분히 상 담했다'는 체크를 하지 않으면 계약이 성립되지 않는다. 비대면 영업이 가능해졌음에도 보험사들이 대면 상담 여부를 체크하는 배경은 크게 세 가지로 압축된다.

첫 번째는 시스템 구축을 하지 못해서다. 조금 더 설명하자 면 시스템 구축의 필요성을 느끼지 못해서다. 금융당국은 비조 치의견서에서 보험설계사의 비대면 영업 원칙에 현재 텔레마케 팅TM 채널 규제를 준용토록 했다. TM 규제에 따라 보험사는 표 준상품설명서를 기반으로 보험계약 주요 내용을 설명, 녹취 후 보관해야 한다. 비조치의견서를 받은 초기인 2020년 3·4월에 보험사는 표준상품설명서 스크립트를 만들어 FP에게 배포했다.

하지만 코로나19가 장기화되면서 수많은 상품의 표준상품 설명서 스크립트를 만들기가 버거워졌다. 인력은 한정되어 있

고, 신상품은 계속 나오며, 개정 상품도 많기 때문이다. FP 역시
이런 내용을 녹취해 보험사 보관용으로 제출하기가 쉽지 않았
다. 일각에서는 금융당국이 현장을 이해하지 못한 채 내놓은 비
조치의견서라는 의견도 나온다. 비대면 영업을 위한 FP 맞춤형
TM시스템 구축의 실효성이 없다는 의미다. 한시적 영업을 위해
많게는 수천억 원이 소요되는 TM시스템을 대대적으로 구축할
보험사는 없다.

두 번째는 향후 금융당국의 검사 가능성에 대비하는 것이
다. 일부 FP는 비대면 영업을 진행하면서 상품 설명을 녹취하지
않거나 주요 내용을 누락할 수 있다. 향후 녹취록이 없어 문제가
되었을 때 보험사가 제재를 받지 않으려면 애초에 비대면 영업
을 하지 않는 편이 오히려 낫다. 비조치의견서로 규제가 완화됐
다고 해도 언제 금융당국이 원칙을 기준으로 제재를 가할지 모
를 일이다. 이런 두려움을 무릅쓰고 비대면 영업을 군이 시도할
필요가 있을까?

마지막으로 FP에게 상품 설명의 중요성을 다시 한번 일깨
우기 위해서라는 의견도 있다. 약관과 다른 내용으로 상품을 설
명했다면 그 책임은 FP 본인이 져야 한다. 가령 심장병만 보장하
는 상품을 설명하면서 암까지 보장된다고 말했다면 책임 소재는
FP에게 있다. 대면 상담을 제대로 했는지 확인하면서 다시 한번
경각심을 줄 수 있다는 의미다.

올해는 금융당국도 '비조치의견서'로 언택트를 강조하는 시

기였다. 그럼에도 보험 산업 인택트의 위상에는 흠집을 내지 못한 셈이다. 이는 보험 상품의 5가지 특성, 즉 ▲무형의 재화 ▲상품의 장기성 ▲사고의 불확실성 ▲불행의 담보 ▲상품의 복잡성 등 때문이다. 보험은 공산품과 달리 실체가 없어 구매 후 즉시 효과를 느끼기 어렵다. 상품의 효용을 느끼려면 적지 않은 시간이 걸리며 보험 사고가 발생할지도 알 수 없다. 게다가 불행한 보험 사고로 효용성을 느끼려고 할 때도 상품의 복잡성 때문에 보험금을 수령하지 못하거나 기대보다 적은 돈을 받을 수 있다. 상품이 복잡해 얼마나 보상받을지 소비자가 쉽게 파악하기 어렵다. 이런 보험 상품의 특성 때문에 고객에게 인생을 살면서 마주할 불행을 설명하고 상품을 판매하는 보험설계사의 위상이 언택트 시대에도 여전했다고 볼 수 있다.

2. 금리 하락은 보험사에 악재인데 초저금리로 되레 허리 폈다?

코로나19로 경제는 급격히 얼어붙었다. 경기 침체 공포로 글로벌 주식 시장은 동시에 급락했다. 미국을 비롯한 각국은 급격한 경기 침체를 방어하기 위해 돈을 풀었다. 자연스레 국공채 금리는 하락했고 우리나라도 예외는 아니었다. 2월 14일 2,244포인트(종가 기준)였던 주가지수는 3월 19일 1,439포인트까지 급락했다. 1개월여 만에 약 36%나 하락했다. 5년물 국고채 금리도 2월 14일 1.45%였지만 지속적으로 하향 곡선을 그려 7월 31일

1.03%까지 낮아졌다.

　보험사는 주가와 금리에 매우 민감하다. 보유자산이 많고 이를 채권과 주식으로 운용하는 탓이다. 특히 안전자산인 국고채 투자 비중이 높다. 그래서 시중 금리 하락은 보험사에게 커다란 악재다.

　보험사의 자산이 100조 원이라고 가정하자. 보험사는 통상 자산의 80%를 안전한 국고채에 투자해 운용한다. 국고채는 국가가 발행한 채권으로 파산 리스크가 제로에 가까운 대신 투자 수익률이 낮다. 나머지 20% 중 일부를 주식, 부동산, 대체자산 등에 투자하고 일부는 현금으로 보유한다. 자산의 80%는 안정적인 수익을 추구하고, 20%는 초과수익을 노리는 전략이다.

　그런데 보험사가 투자한 국고채 평균 금리가 5%에서 2%로 3%p 낮아졌다고 가정하자. 자산 80조 원에 5% 수익률이면 4조 원이다. 그런데 2%로 낮아지면 1조 6,000억 원으로 급감한다. 금리 하락만으로 2조 4,000억 원의 운용자산 이익이 사라지는 셈이다.

　실제 5년물 국고채 금리는 2018년 6월 2.6%에 달했지만, 2년 만인 올해 7월에는 1.6%p 가까이 곤두박질친 1.0% 초반을 기록했다. 국내 보험사 전체 자산은 약 1,000조 원이다. 단순 계산으로도 보험사는 앉은 자리에서 연 16조 원의 이익을 잃어버린 셈이다. 특히 시중 금리에 더 많은 영향을 받는 생명보험사들이 큰 타격을 입었다. 이런 금리 하락 여파 등으로 2020년 1분기

대부분 보험사들의 이익이 후퇴했다.

그런데 세상사 새옹지마라고 했던가. 금리 하락으로 보험사가 어려움에 처하자 금융당국은 규제를 완화했다. 그중에서 가장 직접적인 것은 2023년 도입 예정인 새 국제회계기준, IFRS17이다. 이를 위해 금융감독원은 현재 건전성 기준인 RBCRisk Based Capital제도 대신 K-ICSKorea-Insurance Capital Standard(킥스)를 도입한다. 킥스는 새로운 국제회계기준에 대비해 국제적 정합성을 더 높인 지급여력제도다. 문제는 킥스의 건전성 규제가 현행 RBC보다 훨씬 더 까다롭다는 점이다. 그래서 2016년~17년까지만 해도 킥스 적용 시 보험업계의 부채가 최대 50조 이상 증가할 것이라는 암울한 분석까지 있었다. 다시 말해 킥스를 적용하면 시중 금리 하락에 따른 보험사의 부채 증가 폭이 더 커진다는 뜻이다.

복잡한 개념이니 비유적으로 설명하면 다음과 같다. 보험사는 금리 변동 여부와 상관없이 계약자에게 매년 동일한 보상을 제공해야 한다. 보험사의 보상은 결국 보험금 지급이다. 금리가 5%이고 매년 100만 원을 지급해야 한다면 보험사는 2,000만 원의 자산(보험적립금 = 보험 회계상 부채)만 가지고 있으면 된다. 그런데 금리가 1%로 내려가면 1억 원을 보유해야 한다. 같은 돈을 지급히지만 금리가 낮아질수록 더 많은 자산을 쌓아 두어야 한다는 의미다.

보험사가 감당할 수 없을 정도로 시중 금리가 하락하자 금융당국은 규제를 대폭 완화하기 시작했다. 특히 킥스 관련 규제를 많이 풀었다. 시중 금리 하락에도 불구하고 킥스에서 적용하는 금리(LAT 할인율)는 되레 높여 적용했다. 현행 건전성 규제인 RBC제도에서는 시중 금리가 상승하면 보험사의 건전성이 악화된다. 채권 금리 하락은 곧 채권평가익의 증가를 의미한다. 국고채를 대규모로 보유하고 있는 보험사의 채권평가익이 좋아지고, 이는 건전성 악화로 이어진다.

그런데 킥스는 반대다. 채권 금리 하락은 장기 자산운용에 좋지 않은 영향을 미친다. 킥스를 적용하면 채권 금리가 낮아질수록 보험사의 건전성이 악화된다. 이에 금융당국은 실제 금리보다 높은 가상 금리를 킥스에 적용시켰다.

이해를 돕기 위해 비유적으로 설명하면, 시중 금리가 감당할 수 없을 정도로 하락하여 보험사의 부채가 급증했다. 실제 금리를 그대로 건전성 규제인 킥스에 적용하면 파산할 보험사가 적지 않을 것으로 예상된다. 이에 금융당국은 실제 금리보다 높은 가상 금리를 만들어 규제를 완화했다. 실제 금리는 1%대지만, 규제에서 적용하는 금리는 5%를 초과한다.

앞에서 설명했던 예로 되돌아가 보자. 보험금 100만 원을 지급하기 위해 보험사는 1억 원을 쌓아 두고 있어야 한다. 하지만 가지고 있는 돈은 2,000만 원뿐이다. 만약 조치를 취하지 않는다면 이 보험사는 8,000만 원이 부족해 파산할 것이다. 이에 금융당국이 5% 이상의 가상 금리를 적용해 보험사가 100만 원을 지급해도 별문제가 없도록 한 셈이다.

보험사들은 2023년 적용 예정인 IFRS17과 이에 따른 새로운 건전성 규제인 킥스에 대비하기가 비교적 수월해졌다. 보험사 입장에서 가장 큰 악재 중 하나인 금리 하락이 오히려 새로운 건전성 규제를 완화하는 결과를 낳은 아이러니한 상황이다.

금융당국은 킥스에서 적용하는 가상 금리를 향후 현실화하겠다는 입장이다. 하지만 얼마나 현실화될지는 아직 예측하기 어렵다.

3. 보험 산업의 좋은 법, 나쁜 법, 이상한 법

코로나19에 따른 경기 위축과 저금리 등을 제외하고 2020년 보험업계를 관통한 이슈를 꼽으라면 3가지 법(좋은 법, 나쁜 법, 이상한 법)이라 할 수 있다.

좋은 법
: 치료만 받아도 자동으로 보험금을 청구하여 지급하는 법

올해는 21대 국회가 개원했다. 개원 직후 보험 관련 법안도 쏟아졌다. 그중 보험업계 전체와 소비자에세 가장 큰 영향을 미칠 법안은 일명 '실손보험 청구 간소화법'이다. 바로 좋은 법의 주인공이다. 실손보험 청구 간소화란 보험금 청구에 필요한 진단서, 의료비 영수증 등을 전자문서로 전환해 의료 기관에서 중계 기관을 거쳐 보험사로 전송하도록 하는 제도다. 실제 시행되면 보험 가입자가 일일이 서류를 발급받아 애플리케이션에 등록하거나 보험사에 직접 제출하던 과정이 사라진다. 21대 국회에서는 정무위 소속 여야 주요 의원들이 잇따라 관련 법안을 발의했다. 통과가 유력해 보인다.

실손보험 청구 간소화 논의는 지난 2009년 국민권익위원회가 제도 개선을 권고하면서 시작됐다. 권익위는 실손보험 가입자 대부분이 '불편함' 및 '소액' 등을 이유로 보험금을 청구하지 않는다며, 청구 절차를 간소화해야 한다고 권고했다. 실제로 보험금을 청구하지 않는 비율은 전체의 47.5%(금융위원회·보건복지부 공동 설문조사, 2018)로 나타났다. 절반에 가까운 수치다. 보험금 청구를 포기하는 이유는 '진료비가 소액이어서'라는 답변이 73.3%로 가장 많았고, 뒤를 이어 '청구를 위해 병원 재방문이 귀찮고 시간이 없다'가 44.0%, '증빙서류의 번거로움'이 30.7%였다.

지난 20대 국회에서도 관련 법안이 2건 발의됐지만 통과되지 못했다. 당시 의료계 반발이 컸던 탓이다. 의료법 21조에 '진료기록은 제3자에게 제공이 금지된다'는 조항이 있다. 의료계는 이를 근거로 보험사에 진료기록을 직접 전송하면 의료법 위반이라고 주장한다.

하지만 2019년 10월 보건복지부의 지침이 달라졌다. 복지부는 '진료기록 열람 및 사본 발급 업무 지침'을 발표하고 다음과 같이 설명했다. "환자 본인이 진료기록 사본 발급을 요청하는 경우 환자는 제3자에게 송부할 것을 요청할 수 있으며, 의료 기관은 정당한 사유가 없으면 환자의 요청에 응해야 한다."

또 올해 초에는 데이터 3법(개인정보보호법·정보통신망법·신용정보법 개정안)도 통과되면서 기존에 없던 가명 정보에 관한 개념이 도입됐다. 이전에는 실명 정보와 익명 정보에 관한 개념만 있었다. 질병 등 건강과 관련된 실명·익명 정보는 모두 민감 정보라 본인의 동의를 받아야 한다. 반면 가명 처리된 질병 정보 등은 개인을 식별할 수 없고 민감성도 낮다. 또한 정보 주체를 알아볼 수 없다. 따라서 '진료기록은 제3자에게 제공이 금지된다'는 의료법 21조에도 저촉되지 않는다.

실손보험 가입자는 2014년에 이미 3,000만 명을 초과했고 2019년 6월 말에는 3,800만 명을 넘어섰다. 국민 대부분이 가입해 있다고 해도 과언이 아니다. 실손보험은 포괄주의이기 때문에 약관에서 따로 규정하지 않아도 모든 의료비를 지급한다. 약관에 명시된 내용만 보상하는 일반 보험과 다르다.

가입자가 많고 포괄주의로 보상하는 특성 탓에 보험금을 청구하는 가입자도 많다. 한 해에 약 8,000만 건의 보험금 청구가 발생한다. 2020년 발의된 실손보험 청구 간소화법이 통과되면 FP가 실손보험 가입자를 대신해 청구하는 데 드는 시간과 비용을 대폭 아낄 수 있으리라 예상된다. 소비자 역시 소액의 보험금도 편안하게 수령할 수 있게 된다. 보험 산업의 신뢰도는 덩달아 상승할 전망이다. 그래서 실손보험 청구 간소화법은 2020년을 대표하는 좋은 법이다.

나쁜 법

: 무조건 문제 해결하라는 떼법

나쁜 법은 떼법이다. '떼법'은 법이나 원칙을 무시한 억지 주장 또는 떼거리로 몰려다니며 불법 시위와 농성을 하는 행위를 일컫는 신조어다. 집단 이기주의와 법질서 무시의 세태를 보여 준다. 보험업계 떼법의 대표적 사례는 보험사에 대응하는 암환우 모임, 일명 '보암모' 사태다.

보암모는 2018년 2월 여의도 금융감독원 본원 앞에서 첫 시위를 진행했다. 암보험의 요양병원 입원보험금을 약관대로 지급하라는 요구였다. 시위가 확산되면서 2018년과 2019년에는 국회 국정감사에서도 이슈가 됐다.

금융감독원은 각 보험사에게 보험금 지급을 권고했다. 기준은 ▲말기 암 환자 ▲종합병원 항암 치료 병행 환자 ▲암 수술 직후 환자 등이다. 즉, 말기 암 환자로 종합병원 등 의료 기관에 병상이 없거나 비용이 부담되어 요양병원에 입원한 환자, 종합병원에서 항암 치료를 병행하면서 요양병원에 입원한 환자, 암 수술 직후 요양병원에 입원한 환자가 대상이다.

대부분 보험사들은 보암모의 주장대로 요양병원 입원비를 전액 지급했다. 삼성생명도 2019년 3월부터 금감원의 권고를 받아들였다. 하지만 요양병원에는 치료 이외에 돌봄 목적의 입원도 있다. 돌봄 목적 환자에게까지 입원비를 지급하면 보험금 누수가 발생하기 때문에 향후 암보험 가입자의 보험료 상승을 부추길 수 있다. 이에 일부 본인 부담금을 내고 입원하는 선택입원군 환자는 암보험 입원비 지급에서 제외했다.

암보험 입원비와 관련 요양병원 입원을 암 '직접치료'로 인정하느냐가 보험금 지급을 가르는 핵심 쟁점이었다. 삼성생명은 꼭 직접치료가 없다고 해도 그에 준하는 치료를 받았다면 입원비를 지급하는 쪽으로 물러섰다. 보험사들이 금융감독원의 권고대로 보험금 지급 기준을 완화한 이유는 피감기관인 탓이다. 금융당국의 권고는 보험사에게 명령과도 같다. 상사의 업무지시가 무리하더라도 부당하지만 않다면 따를 수밖에 없는 대부분의 회사원과 비슷하다. 다만 전체 가입자의 절반 정도가 삼성생명에 속해 있어서 지급 예외가 된 경우 역시 다른 보험사보다 많기 때문에 잡음이 생기는 것이다.

보암모 공동대표 중 1명은 삼성생명을 상대로 암보험금 청구소송을 진행했지만 2019년 8월 패소했다. 판결에 불만족해 항소했지만 2심에서도 패소했다. 보암모 공동대표인 이○○ 씨는 지난 1996년 삼성생명 보험설계사로 근무하면서 4개의 암보험에 가입했다. 그리고 2017년 2월경 유방암 진단을 받았다. 같은 해 3월 13~15일까지 3일간 상급 종합병원에 입원해 9월까지 8회에 걸쳐 통원치료를 받았다. 이후 9월 11~13일간 수술을 위해 입원했다.

그리고 상급 종합병원에서 치료를 받던 3월 15일~9월 8일 사이에 별도로 요양병원에 177일 동안 장기 입원했다. 즉, 상급 종합병원에서 암 수술 및 통원치료를 받는 동안 요양병원 입원을 병행한 것이다. 이런 사항만 보면 금융감독원이 권고한 지급 사유에 해당한다.

삼성생명은 암진단금·수술비 등 명목으로 총 9,488만 원을 지급했다. 하지만 요양병원 입원비 5,558만 원 및 지연이자 등의 청구에는 보험금 지급을 거절했다. 이는 이 씨가 항암 치료 외에 개인 사정으로 약 20회의 외출·외박을 할 정도로 혼자 일상생활이 가능했기 때문이다. 이 씨의 재판에서 법원은 '암이나 암 치료 후 그로 인해 발생한 후유증을 완화하거나 합병증을 치료하기 위해 입원하는 것을 직접치료에 포함할 수는 없다'(대법원 2010. 9. 30. 2010다40543)고 판시했다. '환자의 증상, 진단 및 치료 내용과 경위, 환자의 행동 등을 종합해 판단한다'(대법원 2009. 5. 28. 2008도4665)는 대법원 판례를 인용하면서도 피고인 삼성생명의 손을 들어 줬다.

법원은 '입원이란 병원의 의사 등에 의해 암 치료가 필요하다고 인정한 경우로서 자택 등에서의 치료가 곤란해 의료법에서 정한 병원 등에 입실해 의사의 관리하에 치료에 전념하는 것을 말한다'고 기각 이유를 설명했다. 법원 판결은 한마디로 '반드시 입원치료가 필요한 상황으로 보기는 힘들다'는 뜻이다.

2심에서도 법원은 비슷한 이유로 원고의 주장을 기각했다. 이 씨는 2심에 불복해 상고했고 대법원 판결을 기다리는 중이다. 하지만 이변이 없다면 대법원 판단도 하급심과 같을 것이라는 게 법조인들의 시각이다. 즉, 법적 근거도 없이 보험금을 지급하라고 떼를 쓰는 셈이다. 1년 가까이 삼성생명 고객센터를 불법으로 점유하는 등의 방법으로 시위를 진행 중이다.

그럼에도 삼성생명의 대처는 소극적이다. 소비자 보호를 강조하는 금융당국의 눈총은 물론 평판 훼손에 따른 손실을 우려하기 때문이다. 또한 '사회적 약자'로 비치는 시위 참가자들을 무리하게 해산시키면 사회적으로 문제가 될 수도 있다. 어쩌면 보암모는 이런 삼성생명의 상황을 염두에 두고 '떼법'으로 일관하고 있을지도 모른다.

이상한 법
: 보험사에만 효자 역할, 민식이법

지난 2019년 9월 충남 아산의 어린이 보호구역(스쿨존)에서 발생한 9세 김민식 군의 교통사고 사망 사건이 이슈화되면서 어린이 교통안전 강화 법률인 일명 '민식이법'이 2020년 3월 25일 시행됐다. 민식이법은 스쿨존 내 단속카메라 설치를 의무화하는

「도로교통법 개정안」과 스쿨존 내 교통사고 가해자를 가중처벌하는「특정범죄 가중처벌법」을 일컫는 말이다.

그중 특정범죄 가중처벌법에 따라 스쿨존 사고 시 피해자 (13세 이하 어린이)가 상해를 입으면 가해 운전자에게는 1년 이상 15년 이하의 징역 또는 500만 원 이상 3,000만 원 이하의 벌금이 부과된다. 만약 피해자가 사망하면 최소 3년에서 최대 무기 징역까지 선고된다. 기존에도 스쿨존 사고는 특례법상 12대 중과실에 해당돼 가중처벌 대상이었지만 처벌이 더욱 강화되었다.

이처럼 바뀐 법률에 맞춰 보험사들은 지난 4월 일제히 기존 운전자보험을 개정했다. 사고 시 가해자의 벌금 부담을 낮춘다는 명목이다. 기존 최대 2,000만 원이던 형사처벌 보장금액을 3,000만 원으로 상향 조정했다. 또 형사처벌 정도가 강화됐다며 형사소송비 지원 한도도 대폭 높였다.

법안이 시행되고 상품이 바뀌자 보험설계사들은 기존 운전자보험 가입자에게 접근해 기존 상품을 해지하고 신규 상품으로 갈아타야 한다고 권했다. 결론부터 이야기한다면 민식이법 덕분에 손해보험사들은 코로나19 확산에도 불구하고 상반기에 양호한 실적을 기록했다. 일부 손해보험사는 사상 최대의 신계약 건수를 기록하기도 했다.

하지만 민식이법으로 이익을 본 곳은 보험사뿐이다. 소비자는 혜택을 볼 가능성이 매우 낮다. 주요 손보사(삼성화재·DB손보·KB손보)가 2019년 한 해 동안 발생한 스쿨존 사고로 지급한 운전자보험 벌금 담보를 살펴보면 이유를 알 수 있다. 최대 한도인 2,000만 원을 지급한 사례는 약 1만 건 중에 5건뿐이다. 전체의 0.05%에 불과하다.

민식이법 시행으로 벌금 한도는 높아졌지만 동시에 여러 명을 사망하게 한 대형 사고가 아니라면 2,000만 원 이상의 벌금이 부과될 가능성은 0.05%라는 의미다. 만약 민식이법 시행 이전에 운전자보험에 가입한 사람은 기존 상품을 유지해도 보상이 충분하다는 뜻이다.

결국 민식이법을 이유로 신규 상품으로 갈아탈 필요성은 낮아 보인다. 그럼에도 기존 운전자보험의 보장이 부족하다고 느낀다면 민식이법으로 강화된 처벌을 보장하는 담보만 보완하면 된다. 자가용 운전자용 벌금 담보 특약 등이 대상이다. 이 특약을 기존 2,000만 원에서 3,000만 원으로 높이면 된다. 이때 추가 비용은 월 100원 내외에 불과하다. 해당 사고의 발생 확률이 낮기 때문이다. 만약 해당 운전자보험에서 특약 보완이 불가능하다면 가입한 자동차보험 특약을 이용하면 된다. 운전자보험은 자동차보험의 보완 역할을 하는 서브 상품이다.

하지만 각 보험사들은 '운전자보험 갈아태우기' 마케팅을 진행했다. 보험사는 이익을 높이기 위해 신계약이 반드시 필요하기 때문이다. 여기에 운전자보험을 갈이태우면서 다른 보험 상품을 추가 판매할 수도 있다. 결국 보험사는 보험 상품의 구조를 잘 알지 못하는 소비자에게 99점짜리 상품을 해지하게 하고,

많은 비용을 들여 모자란 1점을 보완하게 만든 셈이다. 하지만 그 효용성은 극히 미미한 수준이다. 향후 소비자들이 이런 보험사의 마케팅 전략을 파악한다면 신뢰도가 낮아질 수밖에 없다. 즉, 보험사는 이번에도 당장의 수익을 위해 미래 소비자의 믿음을 깎아 먹은 셈이다.

4. 영향력 커진 GA 좌시하지 않겠다.
금융당국 태도 변화 배경은?

지난 2019년 초 한 매체는 검찰이 업계 5위권 법인보험 판매대리점GA을 압수수색했다는 내용을 보도했다. 해당 GA 대표이사 등 임원이 작성 계약을 직접 만들어 수수료를 편취했다는 혐의. 작성 계약은 수수료 등을 편취할 목적으로 가입하는 가짜 계약을 뜻한다. 보험사는 단기 실적을 부풀리기 위해 가짜 계약이 가능한 구조를 만든다. 가입 후 2년 이내에 납입하는 보험료보다 가입자인 FP 등이 받는 돈(계약 수당과 환급금 등)이 많아지도록 한 것이다. 이에 일정 기간만 유지하다 해약하면 낸 돈(보험료)보다 받을 돈이 많아진다. 대형 GA 경영자가 직접 고액으로 가짜 계약을 작성하여 규모가 커졌다는 것이 금융감독원의 판단이었다.

관련 보도가 나가자 업계는 소란스러웠다. 금융감독원은 해당 GA를 종합 검사했다. GA 대상 종합 검사는 처음이었다. 보험사를 종합 검사하는 수준의 인력을 파견했고, 생명·손해보험협회의 검사 지원도 요청했다. 금융감독원이 해당 사항을 가볍지 않다고 판단했다는 의미다.

이듬해인 2020년 2월에는 아예 '금융 기관 검사 및 제재 시행세칙'을 개정하여 GA의 가중처벌 제재 기준을 명확히 했다. 개정안에는 '동일한 위법·부당 행위를 반복하는 경우 기관제재를 가중할 수 있다'는 문구를 삽입했다. 이는 GA의 가중처벌 규정을 구체적으로 명시하여 향후 제재 수위를 높이기 위한 근거로 적용하겠다는 뜻이다.

그리고 2020년 7월에 금융당국의 제재 결과가 나왔다. 60일간 생명보험 상품 영업중지(판매금지) 및 과태료 31억 원의 중징계였다. GA에게 영업정지 60일 징계는 사실상 폐업 선고와 다름없다는 것이 업계의 평가다. 특히 수수료 수익이 생계와 직결되는 소속 FP는 영업정지 기간 동안 소득이 급감한다. 이에 잔여수당을 두고라도 이직할 가능성이 매우 높다. 잔여수당은 회사가 FP에게 지급해야 할 수당이다. 하지만 소속 FP가 이직하면 지급하지 않는 경우가 많다. 검사 결과가 확정된 직후부터 해당 GA는 급격히 무너졌다. 1만 명에 달했던 소속 FP는 급감했다. 남아 있던 조직도 2개로 분열됐다. 사세가 급격히 기운 것이다.

이번 제재로 금융당국이 GA를 상대로 겨누고 있는 칼끝이 얼마나 날카로운지 확인됐다. 정책 방향 역시 GA 규제를 강화하는 쪽으로 세워졌으니 향후에도 금감원의 서슬 퍼런 감시는 지속될 전망이다.

금융당국이 규제를 강화하는 이유는 GA의 영향력이 더 이상 무시할 수 없을 정도로 커졌기 때문이다. GA 소속 FP는 지난 2018년 18만 명을 넘어서면서 보험사 소속 FP(약 17만 9,000명)를 처음으로 추월했다. 2019년 말에는 19만 명에 육박할 정도로 더욱 성장했다. 보험사 소속 FP보다 1만 명 정도 더 많다. 보험은 적극적으로 구매를 권하는 푸시 마케팅 산업이다. 그래서 소속된 영업조직 규모가 실적을 좌우한다. GA 소속 FP 증가는 그만큼 GA의 매출 확대를 의미한다.

문제는 GA가 너무 많아 금융당국의 감독이 쉽지 않다는 점이다. 법인 대리점 숫자만 6,000개에 달한다. 이 중에서 소속 FP 500명 이상의 대형GA는 약 60개에 불과하다. FP 100명이 넘는 곳은 130개 정도다. 즉, 200개 정도의 GA만 소속 FP 100명이 넘는다는 의미다. 나머지는 소속 FP가 수십 명에 불과한 소규모 업체다.

작은 곳들까지 금융당국이 모두 검사할 수는 없다. 그래서 강력한 규제를 내세워 문제가 되는 GA를 없애겠다는 의지로 보인다. 이를 통해 건실한 GA만 남기겠다는 것이 금융당국의 복안이다. 부정적인 관점에서 보면 강력한 규제가 GA의 영업을 어렵게 할 수도 있다. 하지만 문제의 소지가 있는 곳은 퇴출시키고 양질의 GA만 제도권 안에 남는다는 긍정적인 측면도 존재한다.

2021년에도 GA를 대상으로 한 종합 검사는 이어질 전망이다. 지금보다 더 강력한 규제도 적용될 것이다. 최종적으로 보험상품 판매 책임의 일부를 질 것으로 예상된다. 2020년 증권사·자산운용사의 사모펀드를 판매한 책임을 은행이 졌던 것과 같은 이치다. 복잡한 상품은 제조사보다 판매사의 책임이 더 크다는 뜻이다. 앞으로는 작성 계약 등의 문제가 있는 GA는 사라지고, 업계의 신뢰를 받는 GA만 생존할 가능성이 매우 크다.

5. 한국 시장 성장 끝났나?
외국계 보험사 엑소더스

PCA생명, 알리안츠생명, ING생명(현 오렌지라이프), 푸르덴셜생명의 공통점은? 그리고 메트라이프생명, 라이나생명, 악사손보의 공통점은? 보험업계에 관심이 많다면 이미 눈치챘을 것이다. 전자는 매각이 완료된 외국계 보험사다. 후자는 매각 이슈가 불거진 외국계 보험사다. 외국계 중 매각이 거론되지 않은 보험사가 없을 정도다. 2021년에도 몇 개의 외국계 보험사가 한국에서 짐을 챙겨 떠날 전망이다. 가장 유력한 곳은 2020년 9월 매각 작업을 진행하고 있는 악사손보. 어쩌면 매각설을 극구 부인했던 라이나생명도 이사 준비를 할지 모른다.

외국계 보험사가 짐을 싼 이유는 크게 세 가지로 압축할 수 있다. 첫 번째는 바뀌는 IFRS17을 대비하기 위해서다. PCA생명,

알리안츠생명 등 유럽계 보험사가 해당한다. 두 번째는 저금리 고착화로 운용자산 이익률이 급감해서다. 푸르덴셜생명이 해당되는 보험사다. 세 번째는 저출산·고령화 및 산업의 구조 변화로 신규 가입자가 줄어들고 경쟁 채널도 많아지고 있기 때문이다. 라이나생명, 악사손보가 이런 이유로 매물로 나왔거나 매각설이 제기됐다.

우선 첫 번째 이유인 IFRS17을 대비하기 위해 떠난 PCA생명, 알리안츠생명부터 살펴보자. 이들 보험사는 2020년 이전에 이미 매각이 완료됐다. 본사가 유럽에 있는 보험사로 IFRS17 이슈에 민감했던 탓이다. 유럽은 새 국제회계기준 적용을 10여 년 전부터 준비해 왔다. 유럽 본사에서 새로운 회계기준인 IFRS17에 준하여 해외 법인의 회계수준을 책정하니 장기적으로 손실이 난다는 결론이 나왔다. 이런 이유로 알리안츠생명은 매우 상징적인 금액만 받고 부동산과 함께 한꺼번에 매각했다.

두 번째 이유는 2020년부터 본격적으로 이슈가 됐다. 매물로 나오기 전까지 푸르덴셜생명은 '알짜' 보험사 중 하나로 손꼽혔다. 푸르덴셜생명이 과거 판매했던 주력상품 포트폴리오가 알짜 생명보험사로 불리던 이유다.

푸르덴셜생명은 국내에 종신보험을 소개한 보험사라고 해도 과언이 아니다. 1990년대 말 대졸 공채 남성 FP를 대거 채용해 전문가 이미지를 만들었다. 그리고 이들을 앞세워 고액의 종신보험을 집중적으로 마케팅했다. 종신보험은 보험료 규모가 가장 크고 수익성이 높은 생명보험사의 대표 상품이다. 푸르덴셜 생명이 남성 FP · 종신보험을 중심으로 영업할 때 국내 경쟁사들은 '아줌마가 지인에게 소액상품을 판매한다'는 인식이 강했다. 푸르덴셜생명의 전략은 주효했다. 2000년대 초반까지 종신보험에 가입하지 않은 가장이 없을 정도였다.

문제는 푸르덴셜생명이 종신보험 중심의 영업을 너무 오래 고수했다는 점이다. 종신보험의 만기는 이름에서 알 수 있듯 매우 길다. 또 종신보험이 활성화됐던 시기는 금리가 매우 높았다. 그래서 보증해야 할 확정금리인 예정이율도 매우 높았던 때였다. 푸르덴셜생명이 계약자에게 매년 부담해야 하는 평균 부채금리는 5%가 넘는 수준이다. 여기서 문제가 발생한다.

운용자산 이익률이 3%대에 불과하고 10년 만기 국고채 금리가 1%대 초반인 현재 상황에 5% 예정이율은 매우 부담스러운 수준이다. 구체적인 숫자로 살펴보자. 푸르덴셜생명의 보험료 적립금은 약 20조 원이다. 적립금에 매년 5% 이율을 부리해야 하는데 20조 원으로 벌 수 있는 수익은 3%에 불과하다. 단순 계산으로 연간 4,000억 원의 운용손실이 발생한다. 과거 금리가 높았던 시기에는 괜찮았지만, 금리가 하락하자 문제가 생겼다.

쉽게 말해 푸르덴셜생명은 사망보험금을 지급하기 위해 500원의 이자를 내야 하는데 보유자산으로 얻는 수익은 300원에 불과했다. 게다가 저금리 상황이 언제 끝날지 알 수도 없다. 이에 푸르덴셜생명은 더 많은 손실을 보기 전에 회사를 매각하고 떠나기로 결정했다.

세 번째 이유인 저출산·고령화와 마케팅 채널의 변화는 지난해부터 본격적으로 문제가 되기 시작했다. 이 때문에 푸르덴셜생명과 함께 알짜 보험사로 꼽혔던 라이나생명이 매각설에 휘말렸다.

2019년 말 기준 라이나생명의 자산규모는 5조 원에도 미치지 못한다. 24개 보험사 중 19위다. 라이나생명보다 자산규모가 작은 보험사는 하나생명, BNP파리바 카디프생명, 처브라이프생명, 교보라이프플래닛 등 초소형사뿐이다. 하지만 라이나생명의 당기순이익은 삼성생명, 교보생명에 이어 3위 수준이다. 라이나생명은 총자산 순이익률과 영업이익률로 따진다면 국내 최고다. 많지 않은 자산을 효과적으로 활용하고 영업을 잘하는 보험사라는 얘기다.

이런 라이나생명이 매물로 나온 이유는 더 이상 신계약 창출이 힘들어졌기 때문이다. 강소보험사인 라이나생명은 홈쇼핑 방송이 활성화되던 2000년대에 전화로 보험을 판매하며 성장했다. 홈쇼핑을 통해 상담 콜을 받고 판매로 연결하는 방식이다. 이런 판매 구조를 가진 보험사는 전 세계에서도 매우 드물다. 시대 흐름에 따라 판매 채널을 전략적으로 선택했기 때문에 가능한 성과였다.

홈쇼핑을 통한 전화 판매라는 특성 때문에 라이나생명 상품은 보험료가 소액이다. 부담 없이 가입을 이끌어야 하는 탓이다.

따라서 보험료를 낮추기 위해 보장 및 보험료 규모가 작다. 또 대부분 5년 갱신형이며 만기도 짧다는 특징이 있다. 이 같은 상품 포트폴리오는 위에서 설명한 푸르덴셜생명과 거의 정반대다. 푸르덴셜생명은 보험료 규모가 크고 만기가 긴 상품을 팔았지만, 라이나생명은 보험료 규모가 작고 만기가 짧은 상품 위주였다. 이에 푸르덴셜생명과 전혀 다른 부분에서 문제가 발생했다.

푸르덴셜생명은 자산운용 수익률만 높다면 한동안 신계약이 나오지 않아도 문제가 없다. 판매한 상품의 만기가 길기 때문에 보험료가 지속적으로 들어온다. 그래서 자산운용만 잘해도 수익을 낼 수 있다. 반면 라이나생명은 신계약이 없으면 즉각 순이익이 줄어든다. 소액 단기 보험을 주로 판매하기 때문이다. 따라서 저출산·고령화로 향후 가입할 수 있는 신계약 대상자가 줄어들어 수익성에 빨간불이 켜졌다. 쉽게 말해 푸르덴셜생명은 한 번에 대량 식사를 하고, 라이나생명은 조금씩 자주 먹어야 하는 셈이다.

라이나생명의 판매 형태도 수익 악화의 원인으로 작용했다. 라이나생명은 주로 전화를 이용해 상품을 팔았다. 홈쇼핑이나 케이블 채널에서 보험 판매 영상을 보고 상담 전화를 요청하면 상담사가 전화를 거는 방식이다. 그런데 스마트폰의 보편화로 TV를 보는 사람이 줄었다. 따라서 라이나생명이 특화한 채널의 성장성은 줄어들 수밖에 없다.

악사손보도 라이나생명과 비슷하게 채널 변화의 흐름에서

자유로울 수 없었다. 악사손보는 국내 최초로 자동차보험을 전화로 판매한 보험사다. 2000년 관련 사업이 처음 나왔을 때는 기존 FP 채널보다 저렴하고 편리한 방법으로 자동차보험 가입이 가능했다. 이에 시장 점유율도 빠르게 성장했다. 하지만 더 이상 전화 상담은 매력적인 판매 채널이 아니다. 스마트폰으로 통화 없이도 가입이 가능하며 가격도 더 저렴하다. 이에 악사손보는 자동차보험 가입자를 대상으로 마케팅 동의를 받고, 암보험 · 건강보험 같은 장기보험 상품의 추가 판매 전략을 세웠다. 하지만 장기보험 점유율은 높아지지 않았다. 기존 성공 방식은 시대 변화에 따라 매력이 없어졌는데 새로운 판매 방식을 찾지 못해 벽에 부딪힌 셈이다.

2021년 미리 보기
: 코로나19보다 두려운 플랫폼의 등장

1. 보험사, 사업비 개편으로 전화위복 노린다

2021년 보험 산업에 첫 번째로 영향을 미칠 이슈는 바로 '사업비 개편'이다. 지난 2019년 8월 금융위원회는 보험 사업비 개편안을 발표했다. 내용은 크게 3가지다.

① 보장성보험 사업비 개선
② 보장성보험을 저축성보험으로 인식시키는 요인 개선
③ 보험 모집 수수료 제도 개선

상품과 관련된 내용은 2020년 4월부터 이미 시행됐다. 모집 수수료 개선은 영향력이 더 크기 때문에 2021년 1월에 개정된 내용이 적용된다. 영향력이 매우 큰 만큼 시행 전 준비기간도 길었다.

2021년 적용될 사업비 개편안의 명목은 '모집 수수료의 명확화'다. 지금까지 모집 수수료는 기본적인 판매 수당에 물품시책, 추가시책 등을 모두 포함했다. 2021년부터는 보험 상품 판매자인 FP(보험사 입장에서는 GA 포함)에게 지급하는 모집 수수료가 명확해진다. 수수료를 노린 작성 계약의 가능성을 차단하고 보험 산업 신뢰도를 끌어올리겠다는 의도로 해석된다. 하지만 수수료 개편 효과를 조금 더 깊이 살펴보면 보험사에 매우 큰 이득이 된다.

그동안 중소형 보험사는 판매 확대를 위해 GA를 돈으로 유혹했다. 보험 판매의 대가로 더 많은 수수료와 시책을 지급했다. 비슷한 상품을 비교 판매하는 GA 소속 FP는 대가가 더 많은 상품에 시선이 갈 수밖에 없다. 비용이 늘어나도 그 이상으로 상품 판매가 증가하면 보험사에게도 이득이다.

문제는 상대적으로 신계약이 줄어든 경쟁보험사가 더 높은 판매 대가를 GA에 제시한다는 점이다. 상품 판매를 위한 사업비는 갈수록 높아질 수밖에 없었고 GA는 이를 당연하게 받아들였다. 과거에는 1건의 상품을 판매하기 위해 GA에게 수수료로 100원을 지급했다면 지금은 110원, 120원을 책정하는 상황이다. 더 높은 수수료를 지급하면 해당 상품이 더 많이 팔린다는 점을 보험사들이 확인했기 때문이다.

일부 GA는 보험 판매의 대가인 모집 수수료 외에 다른 보너스도 요구했다. 모집 수수료를 무한정 늘릴 수 없는 보험사는 결국 보너스 제공을 옵션으로 내걸었다. 물품시책, 여행시책 등이 추가됐다. 또한 실적에 따른 보너스를 추가 지급하기도 했다.

결국 보험 판매를 위해 집행하는 평균 사업비가 지속적으로 높아지는 결과를 초래했다. 사업비 상승은 결국 보험료 인상으로 이어진다. 이에 금융당국이 모집 수수료 지급 기준을 명확히 하는 규제안을 내놓은 것이다. 모집 수수료는 판매를 대가로 지급하는 모든 금전 및 물품이다. 즉, 수수료 이외의 모든 보너스를 포함하겠다는 의미다. 가령 월 보험료가 10만 원인 보험을 판매해 수수료로 100만 원과 시가 30만 원의 물품을 받았다고 가정해 보자. 현재 기준으로는 수수료가 100만 원이지만, 2021년부터는 130만 원이 된다.

규제안은 수수료를 명확히 정의하는 것에서 그치지 않는다. 지급할 수 있는 수수료의 한도도 규정했다. 계약 초년도에 지급할 수 있는 수수료는 연납보험료 이하여야 한다. 가령 1월에 월 보험료 10만 원인 상품을 계약했다면 12월까지 받을 수 있는 수수료 총액은 120만 원(10만 원 × 12개월)을 초과할 수 없다. 물론 앞서 설명했듯 물품 시책까지 포함한 금액이다. 일명 '1,200% 룰'이다.

1,200% 룰의 목적은 '작성 계약 가능성 차단'에 있다. 지난 해까지는 1년 동안 보험 가입자가 내는 돈보다 FP가 받는 돈이 더 많을 수 있었다. 이에 FP가 수수료를 노리고 가짜 계약서를 작성하는 사례가 적지 않았다.

예를 들어 월 10만 원짜리 보험에 FP가 직접 가입하거나 지인 명의를 빌려 가입한다. 2년을 유지하면 보험사에 납입한 보험료는 240만 원이고 FP는 보험사에서 수수료 180만 원과 시책 30만 원을 받는다. 2년만 유지하고 계약을 깨면 해지 환급금은 60만 원이다. 그러면 수수료, 시책, 환급금의 총액은 270만 원으로 보험료로 낸 240만 원보다 많다. 계약을 2년 유지하기만 하면 30만 원을 버는 셈이다. 이런 작성 계약을 만들면 판매자는 이익을 본다. 쉽게 '돈 놓고 돈 먹기'를 할 수 있는 탓이다. 반면 받은 것보다 더 많은 돈을 지급해야 하는 보험사는 큰 피해를 입는다.

물론 보험사도 이런 사실을 알고 있다. 하지만 작성 계약이 가능한 상품 수수료 구조를 일부러 만들어 왔다고 해도 과언이 아니다. 판매 경쟁 때문이다. 보험은 규모의 경제가 필연적이며 경쟁사보다 많은 상품을 판매했다는 사실 자체가 유리하게 작용한다. 마치 다른 사람들이 많이 듣는 음악이 더 좋은 음악이라는 인식을 악용해 음원을 사재기하는 행위와 비슷하다. 과거 일부 신문사들이 구독자도 없는데 부수만 찍어 내던 일과 마찬가지다. 발행부수가 많은 신문이 더 신뢰도가 높다는 점을 강조하며 마케팅 효과를 노렸던 것이다.

대중가요 시장의 음원 사재기나 언론사의 발행부수 부풀리기처럼 작성 계약도 문제가 됐다. 이에 금융당국은 작성 계약 자체를 못 하도록 '낸 돈보다 적은 수수료만 받을 수 있다'고 규제하고 나섰다.

2021년부터는 수수료의 정의가 명확해지고 1,200% 룰이 적용된다. 보험사가 얻는 효과는 2가지다. 보험 상품 판매 대가로 지급하는 GA 사업비가 법적으로 분명해진다. 동시에 사업비의 절대 규모도 줄어든다. 즉, 보험사 입장에서는 사업비를 획기적으로 줄일 수 있다. 또 지속적으로 확대되었던 GA 판매비의 통제도 가능해진다.

이를 통해 전속 FP 규모가 큰 보험사는 GA로 넘어갔던 FP를 되찾아 올 수 있을 전망이다. 동일한 보험을 판매했다면 보험사나 GA 소속 FP 모두 받을 수 있는 최대 수수료는 같다. 지금까지 FP 수수료는 계약 체결 직후에 대부분을 수령했다. 극히 일부의 잔여 수수료만 수개월에서 수년에 걸쳐 받았다. 초년도 수수료가 같다면 시스템이 잘 갖춰져 있고 브랜드 인지도가 높은 대형 보험사에서 일하는 것이 FP에게 더 유리할 수 있다.

중소형 보험사는 오히려 GA 의존도가 더 확대될 가능성도 있다. 전속 FP 조직을 대규모로 운영하려면 막대한 비용이 발생한다. 그런데 신상품 판매가 가능한 GA의 사업비 통제가 가능해진다. 전속 조직 유지보다 GA와 협력하는 방법이 더 효율적일 수 있다. 다만 중소형 보험사가 컨택할 GA는 대형사다. 대형 GA 1곳과 판매 제휴를 하는 편이 중소형 GA를 여럿 관리하는 것보다 효율적이며 리스크도 작을 수 있기 때문이다.

수수료의 명확화와 1,200% 룰 적용은 보험사에 적지 않은 도움이 될 것이다. 특히 사업비 집행 규모가 큰 대형보험사는 비용을 대폭 줄일 수 있을 전망이다. 일부 대형 GA는 반사이익을 볼 가능성이 있다. 중소형 보험사와 판매 제휴를 공고히 하면서다. 다만 중소형 GA의 위상은 갈수록 위태로워질 수 있다.

2. 삼성생명 – 삼성화재, 제3보험 전쟁의 시작

2019년 8월 금융당국이 발표한 사업비 개편안은 '불합리한 보험 사업비를 개편해 소비자 해약환급금을 높이고 보험료 인하를 유도한다'는 명목이었다. 그런데 개편안을 자세히 보면 이런 목적과 전혀 맞지 않는 항목이 있다. '제3보험의 해약공제액 산출 일원화'다. 조금 더 자세히 살펴보자.

금융당국은 생보와 손보가 제3보험 해약공제액을 산출할 때 서로 다른 기준을 적용하고 있어 보험업권 간에 상품별로 유불리가 발생한다고 분석했다. 생보는 상해보험, 손보는 질병보험의 사업비가 높게 책정된다. 따라서 생보와 손보 모두 가장 높은 해약공제액 한도를 적용하여 사업비를 과다 책정한다는 지적이다.

구체적으로 상해보험 사업비는 생보가 손보보다 3.4배 많다. 질병보험 사업비는 손보가 생보보다 1.6배 많다. 이에 따라 금융당국은 원가분석 없이 영업 경쟁만을 위해 사업비를 높게 책정하지 못하도록 제3보험 해약공제액 산출 기준을 일원화한다고 밝혔다. 또한 생보와 손보 간에 관행적으로 규제 차익이 발생하던 기타 사안도 계속 확인하여 오는 2021년부터 개선하겠다고 말했다.

쉽게 말해 생명보험사와 손해보험사의 해약공제액 산출 기준을 같게 만들겠다는 취지다. 당초 사업비 개편안은 소비자를 위해 환급금을 높이고 보험료를 낮추려는 취지로 만들어졌다. 이에 소비자단체 등은 생보와 손보의 해약공제액 기준을 최소치로 맞춰 소비자에게 유리한 쪽으로 진행되리라 예상했다. 하지만 이런 예측은 보기 좋게 빗나갔다. 오히려 생보와 손보의 해약공제액 산출 기준이 상향 평준화되었다.

참고로 해약공제액은 보험에 가입 후 조기 해약할 때 돌려주지 않는 금액이다. 해약공제액이 높으면 소비자는 해약환급금이 줄어들지만, FP 수수료는 많아진다. 물론 보험사도 사업비를 높게 책정할 수 있다. 또 제3보험은 생명보험사와 손해보험사가 모두 판매 가능한 영역이다. 생명보험의 정액보상 특성과 손해보험의 실손보상 특성을 모두 갖고 있어 어느 한쪽에 포함되지 않고 별도 영역으로 분류된다.

제3보험 상품으로는 ▲우연하고 급격한 외래 사고로 생긴 상해치료 등을 보장하는 상해보험 ▲질병에 걸리거나 그로 인해 발생한 입원·수술·통원 등을 보장하는 질병보험 ▲상해·질병에 의한 활동불능 등 간병을 필요로 하는 상태를 보장하는 간병보험 등이 있다. 손해보험사들이 그동안 집중적으로 판매한 암, 치매, 어린이보험 등이 대표적인 제3보험이고 실손의료보험도 포함된다. 생보업계는 대표적인 보장성보험인 종신보험, CI

보험을 제외한 '기타보장성보험'으로 분류하고 손보업계는 '장기인ᄉ보험'으로 부른다.

생명보험사들은 2000년대 초반에 '종신보험', 2000년대 중반에 '변액보험', 2000년대 후반에 '연금보험' 등의 강력한 무기가 있었다. 그래서 제3보험 영역에 집중하지 않았다. 암보험을 단독 상품으로 판매하기보다 종신보험에 암 특약을 끼워 파는 쪽을 선택했다. 그리고 변액보험이나 연금보험을 판매하면 충분했다.

하지만 시장은 포화 상태가 되었고 사망보장이나 노후 준비 니즈를 환기시키기가 과거에 비해 쉽지 않아졌다. 가족의 역할에 대한 기대가 변했고 저금리 탓에 연금보험 무용론까지 나왔다. 이런 상황에서 월 20만 원 이상의 고액 상품 판매는 예전보다 어려워졌다.

심지어 IFRS17 때문에 종신보험이나 연금보험의 리스크는 더 커졌다. 현재 회계기준은 원가평가를 기준으로 한다. 하지만 2023년 바뀌는 회계기준은 시가평가가 원칙이다. 쉽게 말해 현재는 들어오는 보험료를 기준으로 수익을 평가했다면 앞으로는 나가는 보험금을 기준으로 계산해야 한다. 또 금리에 따른 리스크도 현재보다 많이 반영된다. 따라서 종신보험과 연금보험처럼 만기가 긴 상품의 리스크는 더욱 커질 수밖에 없다.

그래서 보험사들은 전략을 바꿨다. 대형 생명보험사부터 종신보험 대신 제3보험 판매에 집중하기 시작했다. 삼성생명은 지난 2017년부터 암보험을 강조하기 시작했다. 한화·교보생명도 2018년부터 암보험과 치매보험 판매를 강조하는 분위기다. 2019년부터는 이런 흐름이 본격화했다. 심지어 일부 생보사는 건강보험 상품을 아예 손보사 상품처럼 바꿨다. 생보사 상품의 손보화가 시작되었다.

과거 생보사들은 암보험 등 제3보험을 판매하면서도 사망을 보장하는 담보를 주계약으로 하고 추가로 암 입원, 암 수술 등을 특약으로 넣은 상품을 만들었다. 주계약이 크고 무거운 구조다. 반면 손보사들은 상해사망 등으로 주계약을 가볍게 하고 다양한 특약을 부과해 DIYDo It Yourself형으로 설계할 수 있는 상품을 내놨다. 가입자 선택에 따라 상품의 핵심 보장이 달라질 수 있는 만큼 시장의 요구에 빠르게 대응해 상품을 개정할 수 있다. 정리하면 생보사 상품은 마치 세트상품처럼 규격화되어 있었던 반면 손보사 상품은 고급형, 보급형, 저가형 등 플랜형이었다.

요즘 생보사 상품은 기존 구조를 버리고 손보사 상품 형식을 수용하고 있다. 가령 한화생명의 '간편가입 100세 건강보험'은 주계약을 가볍게 하고 다양한 특약을 활용해 자유로운 상품 설계가 가능하다는 장점을 내세웠다. 암, 뇌출혈, 급성 심근경색증, 입원, 수술 등 기존 간편가입보험에 부가했던 5개 특약을 35개로 늘렸다. 여기에 대상포진 및 통풍, 뇌혈관 질환, 당뇨 및 합병증, 인공관절 · 관절염 · 백내장 · 녹내장 수술자금 등 다양한 질병 특약도 부가했다. 이처럼 생보사 상품을 손보화하면 사망 보장을 주계약으로 하지 않아 보험료가 낮아진다. 그만큼 고객

접근은 쉬워진다. 월 30만 원짜리 보험과 월 3만 원짜리 보험의 진입장벽은 차이가 클 수밖에 없다.

심지어 이런 상품의 수익성이 더 높다고 계리사들이 조언한다. IFRS17에서는 상품의 만기까지 리스크를 모두 감안해 수익성을 계산해야 한다. 만기가 긴 상품일수록 대입하는 리스크도 커진다. 리스크가 커질수록 수익성은 낮아진다. 예를 들어 100원짜리 종신보험을 판매하여 매년 리스크가 2원이며 만기는 70년이라고 하자. 현재 회계구조에서는 가입 직후 수익이 98원이다. 이에 보험료 규모가 큰 상품인 종신보험을 판매하면 수익이 커지는 구조다.

하지만 바뀌는 회계제도에서는 리스크 총량을 반영한 후 수익성을 따져야 한다. 70년의 만기를 계산하니 수익성은 오히려 마이너스다. 팔면 팔수록 손해를 보는 상품인 셈이다. 그런데 50원의 암보험을 판매하면 리스크는 연 1원이며 만기는 30년이다. 현재 회계상 수익은 종신보험보다 낮은 49원이다. 하지만 바뀐 회계제도에서는 20원의 수익이 발생한다.

이에 대형 생보사부터 제3보험에 집중하기 시작했다. 향후 회계제도에 대비하기 위해 발 빠르게 대응했다고 봐야 한다. 2021년부터는 제3보험에서 생보와 손보의 격전이 벌어질 수밖에 없다. 그리고 양 업계에서 1위인 삼성생명과 삼성화재도 비슷한 상품으로 전쟁이 진행될 전망이다.

3. 고용 해치는 고용보험, 도입 어떻게?

2020년 국감에서 '보험설계사의 고용보험 가입 추진과 과제'가 이슈로 떠올랐다. 정부는 '특수형태근로종사자(특고)'를 대상으로 한 고용보험 당연 가입제 도입을 추진 중이다. 이를 위해 2020년 7월 특고의 고용보험 적용 등을 담은 「고용보험법」과 「고용보험 및 산업재해보상보험의 보험료 징수 등에 관한 법률」 등 일부 개정 법률안을 입법 예고했다.

개정안에서는 보험설계사를 비롯한 특고들에게 고용보험을 당연히 적용하게 했다. 보험 요율은 1.6%이며 보험사와 FP가 각각 0.8%씩 부담한다. 정부는 또 저소득 특고의 고용보험료를 최대 80%까지 지원한다는 방침이다.

월평균 약 233만 원(금융·보험업 기준보수)을 버는 보험설계사 A 씨가 실업급여를 받기 위해서는 소득의 0.8%(1만 8,656원)를 12개월 동안 내야 한다. 총보험료는 22만 3,869원이다. 1년 일하고 그만둔다면 A 씨는 120일 동안 하루 4만 6,600원(보험업 기준보수 × 60%)씩 총 559만 원을 받는다. 납입한 고용보험료보다 약 25배 많은 실업급여를 받는 셈이다. 만약 A 씨가 저소득 특고라면 정부가 보험료의 80%를 지원하기 때문에 12개월 간 내는 보험료는 총 4만 4,774원에 불과하다. 낸 보험료 대비 실업급여 수급액 비율이 무려 125배에 달한다.

보험설계사는 소득이 낮을수록 고용이 불안정하다. 당연한 얘기지만 고소득 FP는 일을 그만둘 가능성이 낮고, 저소득 FP는 스스로 다른 일을 찾게 된다. 낮은 실적으로 소득이 줄어들면 굳이 보험설계사 일을 계속할 이유가 없기 때문이다. 그래서 보험설계사의 13개월 차 정착률은 30% 수준에 머문다. 10명 중 7명이 1년도 안 되어 보험업계를 떠난다는 얘기다.

그래서 소득이 낮은 FP는 고용보험 당연 가입이 반가울 수 있다. FP로 경력을 쌓다 관두면 실업급여를 받을 수 있다는 희망이 생기기 때문이다. 하지만 조금 더 깊이 살펴보면 고용보험 당연 가입제가 도입된다고 해도 보험설계사는 사실상 혜택을 받기가 쉽지 않다는 점을 알 수 있다.

고용보험 혜택인 실업급여를 받으려면 비자발적으로 해고되어야 한다는 조건이 있다. 그런데 보험설계사 중 비자발적인 해고가 얼마나 있을까? 보험사 입장에서는 최대한 계약을 늘리기 위해 1명의 FP라도 더 확보해야 한다. FP의 자기 계약조차 보험사 입장에서는 수입원이다. 따라서 보험사가 FP를 먼저 해고하는 일은 거의 발생하지 않는다. 일을 하고 싶은데 회사가 나가라고 하거나, 다니던 회사가 없어지는 등의 일이 발생해야 실업급여를 받을 수 있다. 하지만 그런 일이 보험업계에서는 잘 생기지 않는다. 결국 비자발적인 해고는 없다. 따라서 실업급여를 받을 수도 없다.

현실은 상품 판매가 어려워 영업 실적이 감소하고 소득이 줄어들어 스스로 일을 관둔다. 보험설계사의 약 50%는 월평균 소득이 200만 원에도 미치지 못한다. 최저시급 기준 아르바이트의 소득보다 낮은 셈이다. 취미 삼아 하는 일이 아니라면 기대보다 낮은 소득을 유지하면서까지 일할 사람은 거의 없다.

소득이 높은 FP라면 고용보험 혜택을 받을 가능성이 더 낮다. 보험 영업 현장에서 고능률 FP는 극진한 대우를 받는다. 이직 시장에서 스카우트 경쟁까지 발생한다. 비자발적 해고의 가능성이 매우 낮다. 반면 소득이 높을수록 고용보험료는 더 많이 내야 한다. 즉, 고용보험 혜택을 누리기 힘들수록 고용보험료를 더 많이 부담해야 하는 아이러니가 발생한다.

그럼에도 2021년에 고용보험 당연 가입제가 통과될 가능성이 매우 높다. 보험설계사와 고용보험료를 반씩 내야 할 보험사의 부담도 증가한다. 비용도 증가하지만, 보험사가 우려하는 점이 하나 더 있다. 고용보험 도입을 계기로 보험설계사의 노동자성이 주요 쟁점 사항이 된다. 만약 보험설계사가 고용보험을 포함해 국민연금, 건강보험, 산재보험 등 4대보험에 가입하면 보험업계의 연간 부담액은 1조 원 내외가 될 것이라는 관측이다.

보험사는 고용보험 도입 자체를 막을 수 없다면 선택 가입을 주장할 것으로 보인다. 현재 보험설계사는 산재보험 가입을 선택할 수 있다. 참고로 FP의 산재보험 가입률은 12% 정도다.

고용보험도 산재보험처럼 선택하게 하면 보험사 입장에서는 부담이 줄어들 수 있다. 하지만 보험사의 이런 대응 전략이 실현될 가능성은 매우 낮아 보인다. 오히려 정부는 산재보험마저 당연 가입을 시행할 움직임을 보이고 있다. 보험설계사가 산

보험설계사 4대보험 가입 시 연간 부담금 예상액

단위: 억 원

구분	국민연금	건강보험	산재보험	고용보험	총계
생명보험	1899	1291	295	274	**3759**
손해보험	1115	758	173	161	**2207**

이지만 연세대 교수

구분	국민연금	건강보험	산재보험	고용보험	총계
생명보험	1568	1348	142	594	**3652**
손해보험	1101	903	912	378	**3294**
법인대리점	2928	2493	242	1111	**6774**

재보험 적용을 받지 않겠다고 신청할 수 있는 사유를 질병·육아·휴업 등으로 제한하는 방안을 추진할 모양새다.

정부는 고용보험 도입을 강력히 추진하고 있다. 또한 산재보험의 '사실상' 의무화까지 추진하고 있어 보험사의 고민은 더욱 커지고 있다. 고용보험과 산재보험 도입은 막기 어려울 것으로 예상되며 이에 따른 보험사의 운신 폭도 넓지 않다.

결국 고용안정화를 위해 추진하는 고용보험 당연 가입은 저능률 FP의 일자리 축소로 이어질 전망이다. 보험사가 고용보험료까지 부담하면서 저능률 FP를 유지하지는 않을 것이기 때문이다.

4. 네이버·카카오, 플랫폼 공룡의 진입….
보험 산업에 독일까 득일까?

2020년 네이버가 자동차보험 비교 시장에 진입한다는 이슈가 커졌다. 카카오 역시 2021년에는 자동차보험 시장에 진입할 전망이다.

네이버는 1999년 설립됐다. 2015년에는 금융 사업을 위해 자회사인 네이버파이낸셜을 세웠다. 그리고 네이버파이낸셜은 보험 시장 진출을 위해 지난 6월 자회사 NF보험서비스를 출범시켰다. NF보험서비스는 네이버의 손자회사다.

NF보험서비스 출범과 동시에 손해보험업계 2위권 회사인 현대해상, DB손해보험, KB손해보험 등이 네이버와 자동차보험 수수료를 협상하고 있다는 소문이 퍼졌다. 네이버를 통해 자동차보험에 가입하면 보험료의 11%를 수수료로 요구하고 있다는 내용이다. 이런 소식이 전해지자 업계는 더욱 술렁였다.

네이버에 11%의 수수료를 지급하면 그만큼 사업비를 많이 집행해야 한다. 이는 보험료 인상으로 이어질 것이라는 부정적 기사가 쏟아졌다. 그러자 네이버는 "NF보험서비스는 자동차보험 비교를 위해 설립한 회사가 아니다."라고 공식 입장을 밝히며 한 걸음 물러섰다. 그럼에도 보험업계는 여전히 술렁이고 있다. 보험입계는 네이버와 실제 수수료 협싱을 진행했었다. 이에 네이버 같은 빅테크 회사의 보험업 진출이 당분간 연기되었을 뿐 조만간 진입하리라는 관측이 지배적이다. 또 네이버가 보험 사업 진출을 위한 법적인 논란 요소를 해결하기 위해 시간을 번 것이라는 시각도 있다.

현재 자동차보험을 가입할 수 있는 방법은 크게 세 가지다. 보험설계사를 만나거나 전화 및 온라인을 통해서다. 이 중에서 FP나 전화를 통해 가입하면 보험료의 일부가 수수료로 지급된다. 보험설계사나 전화 상담사가 상품 가입에 관여했기 때문이다. 반면 온라인으로 가입하면 수수료가 없다. 보험을 모집한 주체가 사람이 아닌 시스템이기 때문이다.

보험업법 제99조(수수료 지급 등의 금지)에서 보험사는 모집할 수 있는 자(FP, 대리점, 중개사) 이외의 자에게 모집 수수료를 지급할 수 없다고 명시했다. 온라인 채널이 FP나 전화보다 저렴한 이유는 모집 수수료만큼 비용이 감소했기 때문이다. 수수료 비용이 줄어든 만큼 보험료를 낮춘 셈이다.

보험업법에 따라 NF보험서비스가 시스템을 통해 자동차보험을 비교해 제공한 정보를 고객이 보고 가입해도 보험사는 수수료를 지급할 수 없다. 이에 네이버는 수수료 대신 광고비를 받겠다는 입장이다. 하지만 보험사가 광고비 명목으로 네이버에 돈을 지급해도 문제가 될 수 있다. 보험업감독규정 제4-36조(통신판매 시 준수사항)에 방송채널사용사업자로 승인된 보험대리점에 광고비 형태의 수수료를 지급하면 안 된다고 명시돼 있기 때문이다. 방송채널사용사업자는 통상 보험 판매를 위한 홈쇼핑사를 의미한다. NF보험서비스는 홈쇼핑사와 비슷한 통신판매 사업을 영위한다.

즉, 네이버가 온라인 자동차보험 비교를 통해 가입자를 끌어모으는 행위가 모집인지 광고인지에 따라 보험사는 지급할 비용의 명목을 수수료 혹은 광고비로 결정할 수 있다. 하지만 현재까지 알려진 네이버의 사업 형태에 따르면 보험사는 수수료도 광고비도 지급할 수 없다. '보험모집 자격을 가지고 있는 자'가 아니며 '홈쇼핑사'도 아닌 탓이다. 새로운 형태의 사업이기 때문에 금융위원회 등에서 법령 해석을 해야 한다.

네이버는 법령 해석이 명확해질 때까지 사업을 유보할 수밖에 없었다. 하지만 지난해 네이버가 수수료를 받아야 하는지 아니면 광고비를 수수해야 하는지 논란이 있었다. 이에 네이버는 금융당국에 유권 해석을 의뢰할 것으로 예측된다. 유권 해석이 나오면 합당한 비용을 받을 수 있게 사업을 재정비한 후 보험 산업에 다시 뛰어들 것이다. 즉, 네이버에게 2021년은 보험 산업 진출 원년이 된다. 그렇다면 도대체 네이버는 왜 보험 산업에 군침을 흘릴까?

금융 산업은 규모의 경제가 필수다. 더 많은 고객을 붙잡기 위한 경쟁이 벌어질 수밖에 없는 구조다. 더 많은 사람들이 더 많은 돈을 지불할 때 금융사는 성장한다. 현재 우리나라 인구는 정체돼 있으며 저성장 국가로 진입했다. 금융 산업 전체가 예전처럼 성장할 수 없다는 의미다. 경쟁사 고객을 빼앗아 내 고객으로 만들어야 성장한다.

현대인은 스마트폰을 떼어 놓고 생활할 수 없으며, 네이버는 한국인들이 가장 많이 사용하는 포털사이트다. 이런 네이버가 금융 시장에 군침을 흘리고 있다. 네이버 같은 플랫폼 회사가 금융 시장에 진입하려면 상품이 단순하거나 유통 마진이 커야 한다.

은행이나 증권사 상품은 유통 마진이 크지는 않지만 구조가 단순하다. 예·적금이나 주식 거래가 대표적이다. 이미 10여 년 전부터 은행과 증권사의 모든 서비스가 온라인으로 가능해졌다. 상품 구조가 단순해서 사람이 아닌 시스템으로 대체하기 쉬웠기 때문이다.

보험이 은행이나 증권사보다 온라인화가 덜 진행된 이유는 상품 구조가 복잡하기 때문이다. 하지만 유통 마진이 크다. 보험사는 FP에게 최대 20% 정도의 판매 비용을 지불해 왔다. 만약 온라인으로 시스템화하면 FP에게 지급하던 판매 비용을 획기적으로 줄일 수 있다. 물론 보험사도 더 낮은 가격의 온라인보험을 만들었다. 하지만 지금까지는 고객 유치에 실패했다. 오랫동안 보험사가 '보험은 어렵고 복잡해 FP가 꼭 필요하다'고 마케팅해 온 탓이다. 온라인보험이 아무리 저렴하다고 해도 소비자는 눈길을 돌리지 않았다. FP가 필수였던 과거의 성공 요인이 언택트(비대면) 시대의 성장 가능성을 막아 버린 셈이다.

네이버는 높은 유통 마진에 군침을 흘렸고 소비자 스스로 보험사 홈페이지를 찾지 않는다는 틈새를 봤다. 온라인보험을 플랫폼에 탑재하여 'FP가 필요 없이 플랫폼이 알아서 서비스를 해 준다'는 식의 마케팅을 시작하려는 것이다. 네이버가 온라인에서 보험을 판매하면 소비자는 FP가 파는 것과 같은 상품에 더 낮은 가격으로 가입할 수 있다. 그리고 네이버는 줄어든 판매 비용의 일부를 취할 수 있다. 보험사는 낮은 가격에 상품을 공급하고 경쟁사의 고객을 쟁취할 수 있다.

다만 이는 네이버가 보험 시장에 진입한 초기의 모습일 뿐이다. 보험사는 일반 제조업처럼 회사가 많지 않다. 경쟁사보다 낮은 가격에 상품을 공급하기도 쉽지 않다. 이런 상황에서 네이버가 높은 광고비를 요구한다면 조금씩 가입자에게 비용이 전가될 수밖에 없다. 결국 보험사가 판매를 위해 네이버 등 포털에 더 의존하게 되면 보험료는 높아질 가능성이 크다.

카카오는 네이버와 약간 다른 형태로 보험 산업에 진입할 것으로 예상된다. 네이버는 보험사를 설립하지 않고 상품 판매 역할만 한다. 온라인 GA가 되겠다는 의미다. 반면 카카오는 직접 손보사 설립을 추진 중이다. 즉, 상품 제조부터 판매까지 직접 다 하겠다는 의미다. 이처럼 상품을 직접 제조하면 불리한 부분이 하나 있다. 경쟁 보험사들이 카카오 상품을 판매하지 않으려 한다는 점이다.

온라인보험 시장은 아직 규모가 크지 않다. 특히 자동차보험을 제외하면 규모가 더 줄어든다. 참고로 카카오는 손해보험 업계 1위 삼성화재와 합작 손보사를 설립하려다 궤도를 수정했다. 이후 다른 손보사와 손을 잡는 전략 대신 독자적으로 진행하려는 모습이다. 이는 결국 자동차보험 시장 진출이 어려울 것이라는 의미다. 혹여 다른 보험사와 제휴해 진출해도 초기에는 영향력이 그리 크지 않을 것이다.

자동차보험은 판매보다 보상이 중요하다. 보상망을 구축하기 위해서는 엄청난 규모의 경제가 필요하다. 온라인만으로는 진행할 수 없다. 결국 카카오는 카카오톡에서 파생된 카카오택시, 카카오대리운전, 카카오쇼핑 등의 플랫폼과 연계된 상품을 개발하여 판매할 것으로 보인다.

카카오의 전략은 '넛지Nudge'로 압축할 수 있다. 넛지는 원래 '팔꿈치로 슬쩍 찌르다', '주의를 환기하다'라는 뜻이다. 경제학에서는 '사람들의 선택을 유도하는 부드러운 개입'이라는 의미로 사용된다. 구매하는지 아닌지도 모르게 구매하고, 사용하는지 아닌지도 모르게 사용한다는 의미로도 해석할 수 있다.

가령 카카오 앱을 통해 대리운전을 부른다. 이때 대리운전 비용에 대리운전 사고보험이 포함되어 있다. 일부러 취소하지 않는 이상 무조건 가입된다. 보험료는 매우 저렴하며 소비자는 대리비용에 포함되어 있다고 인식한다. 하지만 대리운전 중 사고가 나면 30만 원 정도의 금액이 '위로금' 등의 명목으로 카카오페이를 통해 입금되는 방식이다. 소비자는 자신도 모르게 보험에 가입한다. 그러다 사고가 나서 보상을 받으면 마치 무료로 서비스를 받은 기분이 든다. 이처럼 초기에 가벼운 보험으로 신뢰도를 높이고 개인정보를 수집한다. 그리고 몇 년 후부터 조금씩 무거운 상품이 나올 것으로 예상된다.

어쨌든 카카오도 2021년이 보험 산업 진출 원년이 될 것이다. 초기 카카오톡이 그랬듯 사람들의 편의성을 높인다. 이후 카카오보험이 없으면 불편할 정도의 세상을 만들 것으로 보인다. 자신도 모른 채 보험에 가입하게 만드는 세상이 카카오의 목표로 보인다.

5. 과거의 메리츠, 현재의 롯데, 미래의 미래에셋

2018년부터 시작된 메리츠화재의 돌풍은 2019년에 태풍으로 몰아쳤다. 업계의 독보적 1위인 삼성화재와 장기인보험 분야 순위를 놓고 경쟁할 정도였다. 보험 시장에서 점유율 순위를 바꾸는 일은 결코 쉽지 않다. 하지만 메리츠화재는 업계 5위에서 순위를 뒤바꿨다. 현재 모습은 태풍이 몰아친 다음 날과 비슷해 보인다. 많은 지형을 바꿔 놨다. 긍정적인 부분도 있고 그렇지 않은 모습도 있다.

롯데손보는 메리츠화재의 전략을 거의 그대로 벤치마킹하고 있다. 장기 수익성이 가장 높은 장기인보험에 집중하는 전략이다. 여기에 미끼상품으로서 매력도가 떨어지고 있는 자동차보험은 디마케팅을 진행 중이다. 이 역시 메리츠와 닮았다. 다른 점이 있다면 롯데손보의 규모가 메리츠화재보다 작아 시장에 미치는 파급력도 크지 않다는 정도다. 또 퇴직연금 규모가 크다는 차이점도 있다.

　미래에셋생명은 지난 2015년부터 보장성보험과 변액보험에 집중하는 투 트랙two track 전략을 취했다. 종신보험이나 암보험 같은 금리형 상품은 보장성에 집중하고 연금보험이나 저축보험 등은 변액상품에 집중하는 방식이다. 이런 투 트랙 전략은 적중했다. 코로나19나 저금리 같은 상황 변화에 큰 영향을 받지 않고 안정적으로 성장하고 있다.

　우선 메리츠화재부터 살펴보자. 메리츠화재의 변화에는 김용범 부회장이라는 인물을 빼놓을 수 없다. 증권사 출신인 김용범 부회장은 지난 2015년 1월에 메리츠화재에 둥지를 텄다. 이후 구조조정을 단행했고 대규모 점포제 및 GA와 협업이라는 변화를 주도했다. 비용 절감과 함께 효율성을 높이겠다는 신호였다. 초기만 하더라도 '보험을 모르는 수장이 산업 특성을 간과한 채 단기 성과에만 치중한다'는 시선이 존재했다. 즉, 급격한 변화는 큰 리스크로 돌아올 것이라는 우려였다. 하지만 이는 기우에 불과했다.

　2015년 내부 조직 정비를 단행하고 이듬해인 2016년에는 지역본부 12곳을 없앴다. 대신 점포 221개를 100여 개로 통폐합해 대규모 점포로 개편했다. 아울러 GA와 협업을 이끌어 냈다. 2017년부터 GA를 중심으로 장기인보험 시장에서 신계약이 급증하기 시작했다.

메리츠화재의 상품 및 조직 경쟁력이 우수하다는 소문이 업계에 퍼지자 2018년부터 FP들이 모여들기 시작했다. 그리고 2019년에는 전속 조직이 급속도로 확장됐다. 이에 따라 2020년에는 GA의 판매량을 줄이고 전속 조직의 혜택을 늘렸다. 이런 전략은 전속 FP 조직의 급성장으로 이어졌다. 메리츠화재는 6년도 안 되는 시기에 눈에 띄게 달라졌다. 이 모든 전략은 김용범 부회장이 주도했다.

하지만 급격한 성장은 곧 급격한 변화다. 변화는 리스크를 동반한다. 메리츠화재는 손보사의 판매 상품군 중에서 가장 수익성이 높은 장기인보험에 집중하는 전략을 택했다. 장기인보험은 암보험, 건강보험, 치매보험, 치아보험 등이다. 이런 상품에 집중하기 위해 판매자인 FP의 인센티브를 높이는 전략을 취했다. 즉, 경쟁사보다 판매 수당을 늘리고 특별 보너스라고 할 수 있는 시책까지 대폭 올렸다. 보험사가 사업비를 더 쓰는 대신 판매량을 늘리겠다는 의미다. 일종의 박리다매라고 할 수 있다.

이런 전략으로 2017년부터 장기인보험 실적은 폭발하듯 증가했고 2019년 중반까지 성장세가 이어졌다. 문제는 보험업법상 표준사업비 이상으로 집행한 사업비는 이듬해 모두 비용으로 상각해야 한다는 점이다. 일명 사업비 추가 상각이다.

월납 보험료 10만 원짜리 장기인보험을 판매하면 그해 FP에게 60만 원 내외의 수당을 지급해야 한다. 메리츠화재는 고수당, 고시책 정책을 추진했다. 초기 들어오는 보험료보다 더 많은 수당을 지급했고 추가 상각해야 할 사업비는 눈덩이처럼 불어났다.

메리츠화재는 사업비 추가 상각을 위한 비용을 보유채권 매각이익으로 메웠다. 2019년까지 신계약이 증가하면서 추가 상각해야 할 사업비도 지속적으로 커졌다. 쉽게 말해 가지고 있던 자산을 태워 미래의 성장성에 투자한 셈이다. 곧 다가올 봄과 여름을 위해 쌓아 놓았던 장작을 난로에 집어넣는 것과 비슷하다.

파격적인 고수당, 고시책 정책 덕분에 2019년 메리츠화재의 신계약 규모는 삼성화재를 넘볼 수준까지 커졌다. 문제는 난로에 집어넣을 장작이 떨어지고 있다는 점이다. 메리츠화재는 2019년 하반기부터 고수당, 고시책 정책을 수정했다. 경쟁사들과 비슷한 수준으로 낮춘 것이다. 사업비 추가 상각 규모를 줄이기 위한 방법이었다.

다행인 점은 메리츠화재의 계절이 변하고 있다는 사실이다. 아직은 겨울이지만 봄이 오고 있다. FP가 아닌 보험사 입장에서 신계약이 발생한 초기 2년 동안은 수익이 잡히지 않는다. 받은 보험료보다 지출한 수당 등이 더 많은 탓이다. 하지만 3년째가 되면 달라진다. 보험료는 지속적으로 유입된다. 반면 사업비를 초기에 집중적으로 집행한 덕에 나갈 돈은 줄어든다. 즉, 계속보험료가 발생한다. 특별한 노력 없이도 이미 계약된 보험 덕분에 다시 땔감이 쌓이기 시작한다. 자산규모가 지속적으로 커진다는 의미다.

2021년부터는 추가 상각해야 할 사업비보다 계속보험료로 유입되는 수익이 커질 수 있다. 다시 말해 신계약 규모를 늘리기 위해 별다른 노력을 하지 않아도 이익이 증가하는 구조다. 이변이 없는 한 메리츠화재는 따뜻한 봄을 기다려도 된다. 다만 아직 한 가지 문제가 남아 있다. 2020년 10월 현재 메리츠화재의 계절은 초봄인데 온도를 높이기 위한 땔감이 소진됐다는 점이다. 아직은 춥다. 보릿고개 같은 시기를 버텨야 한다. 이 시기만 잘 넘기면 메리츠화재의 경영체질은 한 단계 높아질 것으로 보인다.

지난 2018년 10월 사모펀드인 JKL파트너스는 롯데손해보험을 인수했다. 이후 메리츠화재의 전략을 거의 그대로 벤치마킹했다. 2019년 초부터 강력한 구조조정을 단행했다. 메리츠화재처럼 전체 조직의 약 3분의 1이 집으로 돌아갔다. 또 메리츠화재의 내부 전략을 파악해 대부분 그대로 답습했다. 수익성 높은 장기인보험에 집중하기 위해 GA 대상 수당과 시책을 높였다. 반면 자동차보험은 시장 점유율을 높이지 않기 위해 디마케팅을 진행했다. 한마디로 현재 롯데손보는 2016년 메리츠화재의 모습과 비슷해 보인다.

다른 점이라면 회사 규모와 퇴직연금 정도다. 당시 메리츠화재는 업계 점유율이 약 10% 정도였다. 손보사 빅5를 꼽을 때 막내로 나설 수 있는 회사였다. 반면 롯데손보의 점유율은 약 3%다. 규모로 보자면 대형사가 아닌 중소사다. 이에 메리츠화재의 전략을 벤치마킹해 고수당, 고시책 전략을 펼쳐도 업계에 미치는 파급력은 크지 않다. 다만 메리츠화재가 갖지 못한 강점이 있다. 퇴직연금 자산규모가 업계 최고 수준이라는 점이다. 이를 통해 매년 안정적인 이익을 취할 수 있다.

현재 롯데손보를 진두지휘하는 최원진 사장은 2018년 10월 인수 직후 노조와 합의한 '고용안정기간 5년' 동안 롯데손보를 완전히 변모시키겠다고 약속했다. 그러려면 메리츠화재보다 더 빨리 조직을 변화시켜야 하며 업계에서의 영향력을 키워야한다. 또 만약 벤치마킹하는 메리츠화재가 성장보다 리스크의 덫에 걸리면 롯데손보의 전략 수정도 불가피할 것이다. 메리츠화재의 과거를 보면 롯데손보의 미래가 보인다.

생명보험사 중에서 거의 유일하게 현실 대응이 아닌 미래 전략을 가지고 움직이는 곳은 미래에셋생명으로 보인다. 미래에셋생명은 2015년부터 투 트랙 전략을 내세웠다. 투 트랙 전략을 자극적으로 표현하면 철저하게 돈 되는 상품만 팔겠다는 말처럼 들린다. 수익성 높은 종신보험, 암보험 같은 보장성보험에 집중하고 수익성 낮은 저축성보험은 변액보험으로 우회해 판매하겠다는 전략이다. 변액보험은 일반 저축성보험과 달리 보험사 효자 상품이다.

종신보험, 암보험 등 보장성보험은 보험의 원래 목적과 부합한다. 미래의 예기치 못한 위험에 대비하는 상품이다. 또 금융당국의 그림자 규제도 저축성보험에 비해 상대적으로 적다. 그래서 보장성보험은 통상 보험사의 효자 상품으로 꼽힌다.

변액보험은 판매하기가 쉽지 않다. 상품 구조가 상대적으로 복잡한 탓이다. 보험 보상뿐만 아니라 자산시장에 관한 지식까지 있어야 한다. 변액보험은 보험료의 일부를 주식이나 채권 등 유가증권에 투자하기 때문에 향후 보험금이 달라지는 상품이다. 하지만 변액보험은 보장성보험보다 더욱 효자 상품이라 할 수 있다. 바뀌는 회계구조인 IFRS17에서 보험부채인 책임준비금 증가가 상대적으로 적기 때문이다.

미래에셋생명이 투 트랙 전략을 앞세우며 본격적으로 변액보험에 집중한 이듬해부터는 다른 보험사들도 변액보험 판매에 드라이브를 걸었다. 2023년 도입 예정인 IFRS17이 적용되면 변액보험이 보험사 수익에 상대적으로 많은 기여를 하기 때문이다. 공시이율을 적용하는 일반보험은 보험사가 자산운용의 책임을 진다. 저금리가 지속되면 과거 판매한 보험에 부담해야 할 금리 비용이 증가한다. 가령 5% 금리를 지급하기로 했는데 자산운용 수익률이 3%면 보험사가 나머지 2%를 채워 줘야 한다. 반면 변액보험은 투자 상품이기 때문에 고객이 투자의 책임을 진다.

보험사 입장에서는 금리형 상품보다 변액보험이 금리 변동에 따른 리스크가 작다. 쉽게 말해 투자 결과의 책임을 가입자가 지는 상품이기 때문에 저금리가 지속되어도 보험사는 손실을 보지 않는다. 여기에 자산운용 보수 및 최저사망·최저연금 보증

수수료 같은 추가 비용도 얻을 수 있다.

이러한 미래에셋생명의 전략은 지속적으로 빛을 발하고 있다. 변액보험은 계약을 유치하기는 힘들지만, 일단 성사되면 계속보험료와 함께 원리금이 증가하기 때문이다. 변액보험에 투자된 자산이 커지면 커질수록 미래에셋생명은 더 많은 운용 수수료 등을 취할 수 있다. 안정적인 수입원이 생긴다는 의미다. 그래서 코로나19로 급격히 낮아진 금리에도 미래에셋생명은 사상 최대 수익을 실현할 수 있게 됐다.

다른 보험사도 미래에셋생명처럼 변액보험 판매를 원한다. 하지만 현실은 쉽지 않다. 위에서 언급했듯 변액보험은 보험 상품뿐만 아니라 자산시장에 관한 지식까지 필요로 한다. 따라서 FP에게 적지 않은 교육을 진행해야 하며 양질의 FP를 많이 보유해야 한다. 향후 미래에셋생명은 변액보험을 중심으로 안정적인 성장을 이룰 것으로 예상된다.

1장을 마치며 ————————————

채우기 위해 버려야 할 것들

금융 산업은 혁신보다 안정을 택하는 경우가 많다. 불특정 다수의 돈을 잠시 맡아 보관하거나 중개하는 산업이기 때문이다. 그중에서도 보험은 가장 변화가 느린 편이다. 상품의 만기가 가장 길어서 불특정 다수의 돈을 맡아 보관하는 기간도 길기 때문이다. 따라서 혁신보다 안정을 중요시한다. 하지만 이런 보험 산업도 시대 흐름에 맞춰 변화하고 있다.

2020년은 어느 해보다 보험 산업에 변화가 많았다. 배경에는 코로나19가 있다. 마스크와 언택트(비대면), 그리고 딜리버리가 일상화됐다. 변화의 중심에는 그동안 발전한 정보통신IT 기술이 자리하고 있다. 굳이 사람을 만나지 않아도 만나는 것보다 더 빠르고 편하게 원하는 일을 처리할 수 있다.

가령 예전에는 배달음식을 먹으려면 직접 음식점에 전화를 걸어야 했다. 하지만 이제는 스마트폰에서 '주문'이라는 단어만 치면 배달 가능한 음식점이 검색된다. 그중 한 곳을 선택하면 결제까지 한 번에 끝난다. 즉, 과거에 사람이 직접 하던 일을 이제는 IT가 모두 진행한다. 사람은 IT가 직접 할 수 없는 조리와 배달만 하면 된다.

보험 산업도 변화해야 한다는 인식은 많았지만 기존 체계를 무너뜨리기가 쉽지 않았다. 하지만 코로나19 때문에 혁신을 바라보는 시선이 긍정적으로 바뀌었다. 보험 산업의 업무 흐름을 단순화하면 3단계로 이루어진다. 첫째, 보험계약 후 가입자의 보험료 납입. 둘째, 보험계약자의 보험료 등 자산 운용. 셋째, 보험사고나 만기 시 보험금 지급.

가입자인 소비자가 가장 관심을 갖는 사항은 보험 사고 후 보험금을 받을 수 있는지 여부다. 보험설계사는 첫 번째 항목에서 주로 업무를 진행한다. 신계약을 발생시켜 보험료를 납입하도록 한다.

2020년 언택트가 화두였음에도 불구하고 FP의 신계약 비중은 오히려 증가했다. 이에 FP 커뮤니티에서는 '언택트는 FP를 대체할 수 없다'는 희망 섞인 의견도 나왔다. 하지만 이는 말 그대로 희망에 불과할 수도 있다. 보험사들은 앞다퉈 디지털에 투자했다.

일부 보험사는 이미 AI가 특정 가망고객에게 필요한 보장설계를 진행할 수 있을 정도로 시스템이 발전했다. 가령 연령, 성별, 소득, 가족력 등 주요 정보를 입력하면 해당 연령대 가입자의 필요 보장금액과 가망고객의 보장자산을 분석한다. 이를 통해 넘치는 부분과 모자라는 부분을 정리해 알려 준다. 가망고객은 이 데이터를 참고해 추가 보장을 더 넣으면 그만인 수준이다. 사실 FP가 하는 일도 이런 보장설계에서 크게 벗어나지 않는다. 쉽게 말해 이미 평균적인 FP가 하는 보장분석 업무의 대부분을 AI가 할 수 있는 수준까지 왔다. 단 하나, 가망고객을 가입고객으로 이끌어 오는 감성 터치가 약할 뿐이다.

다시 말해 보험사들은 가망고객을 직접 계약으로 끌어오는 핵심 방법을 아직 찾지 못했다. 그동안 보험사 및 금융당국이 철저하게 대면 채널을 중심으로 보험업법을 발전시켜 온 이유일 수도 있다. 가령 네이버나 카카오가 보험 상품을 비교하고 가입 니즈를 끌어올리는 행위는 모집 행위일까? 아니면 단순 광고일까? 현재 보험업법은 이를 모집 행위에 가깝다고 해석한다. 그런데 FP가 아니라 시스템인 AI가 모집 행위를 하면 수수료를 받을 수 없다. 하지만 네이버나 카카오 등 빅테크가 진입하면서 금융당국이 법적 해석을 변경할 가능성이 있다. 어쩌면 특례법 등이 생길지도 모른다.

네이버, 카카오 등 빅테크는 온라인 콘텐츠만으로도 사람들에게 구매욕을 불러일으킬 수 있는 노하우가 있다. 보험 상품도 콘텐츠로 정보를 제공하여 실제 가입까지 이어지도록 만들 것으로 예상된다. 처음에는 아주 작은 상품인 미니보험부터 시작하겠지만, 차츰 고객 스스로 보장분석을 경험하고 종신보험이나 암보험 등 단순하지 않은 상품까지 구매하게 할 것으로 보인다.

보험사들은 3번 항목인 보험금 지급 단계에서도 AI가 사람을 대체할 수 있도록 시스템을 구축했다. 이를 조금만 더 고도화시키면 복잡한 보험 사고도 AI가 지급 심사를 진행할 수 있다. 즉, 단순 서류 분석 직업을 반복하는 사람의 일을 AI가 대체하기 시작한 것이다. 마치 배달음식점에서 주문 전화를 받는 사람의 역할을 IT가 대신한 것과 같다.

AI가 보험금 지급 여부를 판단하면 보험사는 세 가지 측면에서 긍정적인 효과를 기대할 수 있다. 첫째, 지급 심사 시 오류를 대폭 줄일 수 있다. 둘째, 보험사의 인건비를 줄일 수 있다. 셋째, 인건비 축소로 절약한 사업비만큼 보험료를 인하해 고객에게 되돌려줄 수 있다.

만약 보험사가 1번 항목인 보험계약 단계에서 AI가 FP를 대체할 수 있도록 하면 어떤 효과가 있을까? 첫째, 불완전 판매가 거의 사라진다. 고객 스스로 알아보고 필요에 의해 가입했기 때문에 보장성보험을 저축성보험으로 오인하는 경우는 거의 찾아볼 수 없게 된다. 둘째, FP 조직을 대폭 축소하고 정예화할 수 있다. 그러면 보험사의 사업비도 대폭 감소할 수 있다. 지금까지 보험사는 전속 조직을 운영하기 위해 많은 비용을 쏟아 왔다. 셋째, 사업비를 줄여 가격 경쟁에서 우위를 점할 수 있다. 삼성화재가 온라인 자동차보험에서 높은 점유율을 기록하는 이유는 가격 경쟁력이 뛰어나기 때문이다.

2021년부터 보험사들은 본격적으로 선택과 집중에 나설 것으로 보인다. 메리츠화재가 장기인보험을 선택하고 집중하기 위해 조직을 정비하고 자동차보험 점유율을 낮췄던 것처럼 말이다. 혹은 급격한 성장보다 안정성을 높이기 위해 변액보험에 집중하는 전략을 짰던 미래에셋생명 같은 선택을 할 수도 있다. 각 보험사마다 자신의 강점을 찾아 특화 전략에 나서는 한 해가 될 것이다.

2

보험
상품
트렌드

2020 ———————————————

정성훈

2021

들어가며 ───────────────────────────
포스트 코로나! 보험회사 CEO들의 견해, 그것이 알고 싶다

2020년 7월 보험연구원kiri이 '포스트 코로나 전망과 과제'라는 주제로 설문조사를 실시했다. 대상은 보험회사 CEO들이다. 포스트 코로나 시대에 보험 산업이 나아갈 길에 대한 실마리를 얻기 위해 보험회사 최고경영자들의 견해를 살펴봤다. 생명보험회사 CEO(회장 및 사장) 25명과 손해보험회사 CEO 13명이 응답했다.

일반인보다 많은 정보를 가진 CEO들은 어떤 생각을 하고 있을까? 무엇보다 의사결정 권한이 있는 그들의 판단에 회사의 명운과 산업의 미래가 달려 있다 해도 과언이 아니다. CEO들은 어떻게 미래를 대비하고 있을까? 지금부터 결과를 하나씩 살펴보자.

코로나19 이후 위축된 한국 경제의 향방

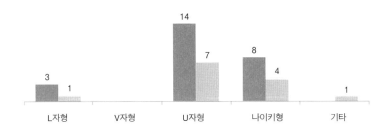

주: (기타) 금융시장은 V자형으로 회복할 것으로 보이나 실물경제는 L자형 장기 침체 가능성 높음

먼저 대다수 CEO들은 코로나19로 위축된 우리 경제가 회복하려면 적어도 2~3년 이상의 시간이 필요하다고 예상했다. 55%가 U자형 경로(2~3년에 걸친 점진적 회복)를, 32%가 나이키형 경로(장기간에 걸친 더딘 회복)를 예상했다. V자형 경로(급속한 회복)를 선택한 CEO는 단 한 명도 없었다.

포스트 코로나 시대의 위협 요인

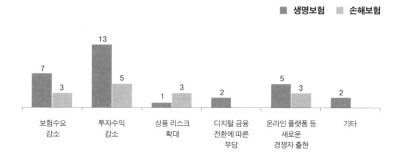

주: (기타) 고객니즈 변화에 부적절한 대응, 보험산업 정책 부재 및 이에 따른 단기적 시각의 출혈 경쟁 격화

위협 요인으로는 투자 수익 감소(41%)와 보험수요 감소(23%)를 주로 꼽았다. 21%는 '온라인 플랫폼 등 새로운 경쟁자 출현'을 가장 큰 위협으로 생각했다. 설문 결과를 세 그룹으로 나누면 다음과 같다. '보험수요 감소(A 그룹)', '투자 수익 감소(B 그룹)', '온라인 플랫폼 등 새로운 경쟁자 출현(C 그룹)'이다.

A 그룹은 주로 국내 중소형사와 일부 대형사에서 나타났고 B 그룹은 외국사, C 그룹은 대형사의 비중이 높았다. 위기 인식 자

체는 생보와 손보의 차이가 없었지만, 대형사는 빅테크의 진입과 보험수요 감소에 좀 더 무게를 두었다. 반면 외국계와 중소형사는 자산운용수익 감소에 더 위기를 느끼는 것으로 나타났다.

코로나 이후 위험 요인 인식 차이의 그룹화

A 그룹 (중소형사 & 일부 대형사)	B 그룹 (외국사)	C 그룹 (대형사)
보험수요 감소	투자 수익 감소	온라인 플랫폼 등 새로운 경쟁자 출현

포스트 코로나 시대의 기회 요인

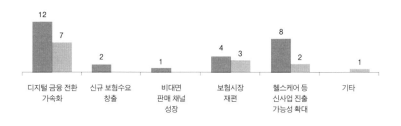

기회 요인으로 C 그룹은 대부분 '디지털 금융 전환 가속화'를 주목했다. A 그룹과 B 그룹은 '디지털 금융 전환 가속화', '헬스케어 등 신사업 진출 가능성 확대', '보험 시장 재편' 등을 예상했다.

온라인 플랫폼 등 새로운 경쟁자 출현을 주요 위협 요인으로 인식하는 C 그룹이 '디지털 금융 전환 가속화'를 기회 요인으로 꼽은 점이 눈에 띈다. 현재 상황을 위기이자 기회로 받아들이고 있다는 의미이다.

A 그룹은 '디지털 금융 전환 가속화', '헬스케어 등 신사업 진출 가능성 확대', '보험 시장 재편'을 고르게 선택했다. 반면 B 그룹은 상대적으로 '보험 시장 재편'을 선택한 비중이 낮았고, '디지털 금융 전환 가속화'에 많은 관심을 나타냈다.

손보는 디지털화를 더 큰 기회로 보는 경향이 있었고, 생보는 헬스케어 사업에 보다 중점을 두었다. 업계 CEO들은 앞으로 디지털화와 건강보험 및 헬스케어 사업 다각화에 의지를 보이고 있다.

향후 가장 성장시켜야 할 채널로는 50%가 비대면 채널,

향후 성장시켜야 하는 채널

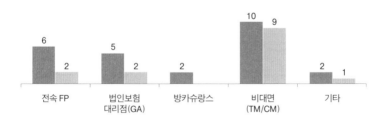

주: (기타) 디지털 플랫폼, Untact Mobile

21%가 전속 FP, 18%가 GA를 꼽았다. 기타 응답에 있는 디지털 플랫폼과 언택트 모바일Untact Mobile을 포함시키면 비대면 채널 비중이 무려 55%에 달한다. 언택트 시대에 비대면 채널의 중요성을 누구나 인식하고 있다는 뜻이다.

모든 그룹이 비대면 채널 성장 전략을 고려하고 있지만, B 그룹은 상대적으로 전속 FP 및 GA 선호도가 더 높게 나타난다. A 그룹은 비대면 채널의 성장 가능성을 상대적으로 낮게 평가했다. 포스트 코로나 시대에는 판매 채널의 비중이 지금과 크게 달라질지 궁금해지는 대목이다.

상품 전략 측면에서 생명보험과 손해보험 CEO 모두 건강보험(혹은 장기보장성 보험)과 헬스케어 서비스 연계 상품에 주력해야 한다고 답했다. 또한 모든 그룹에서 건강보험과 헬스케어 서비스 연계 상품을 성장 동력으로 꼽았는데, 특히 A 그룹의 선

포스트 코로나 시대의 생명보험 주력 상품

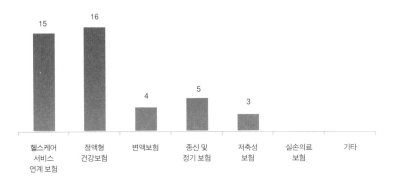

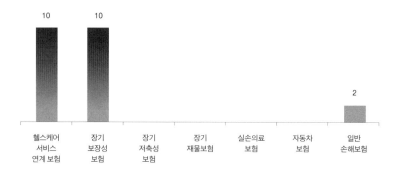

포스트 코로나 시대의 손해보험 주력 상품

호도가 높았다. C 그룹은 사망보험, B 그룹은 변액보험을 추가로 선호했다. 손보와 생보의 CEO들이 생각하는 주력 상품이 유사하기 때문에 향후에도 업종 간 경쟁이 치열할 것이다.

코로나19가 장기화하면서 보험 산업 경영 환경의 불확실성이 확대되고 있다. 경기 둔화, 초저금리, 대면 채널 영업 환경 악화 등 보험 산업의 성장성·수익성·건전성을 저해하는 요인이 커진 상황이다.

보험회사 CEO들은 투자 수익 감소(41%)와 보험수요 감소(23%)를 포스트 코로나 시대의 주요 위협 요인으로 꼽았다. 주요 기회 요인으로는 디지털 금융 전환 가속화(48%)와 헬스케어 등 신사업 진출 가능성 확대(25%)에 주목했다.

포스트 코로나 시대의 대응 전략으로는 비대면 채널(50%) 성장을 꼽았다. 디지털 플랫폼은 이미 모든 산업의 메가 트렌드다. 보험 산업 역시 기존과 다른 방식의 업무 프로세스 도입이 필요한 시점이다.

상품에서는 생명보험과 손해보험 CEO 모두 건강보험(혹은 장기보장성 보험)과 헬스케어 서비스 연계 상품에 주력해야 한다고 답했다. 건강보험과 헬스케어 서비스 연계 상품이 앞으로의 격전지가 될 것이다.

자산운용 측면에서는 많은 보험회사 CEO들이 금리 리스크 축소를 위한 장기채권 투자 확대와 수익률 제고를 위한 대체투자 및 해외투자 확대를 계획하고 있다고 답했다. 또한 시급한 경영과제로 신기술(빅데이터, AI) 활용 제고(21%), 판매 채널 정비(21%), 자산운용 역량 강화(19%)를 제시했다.

지속성장 과제로는 신성장 기반 조성(27%), 디지털 기반 확대(24%), 보험 신뢰 회복(23%)을 언급했다. 아울러 정책 과제로는 가격 규제 완화(23%), 판매 채널 규제 정비(22%), 사회 안전망 역할 강화(16%)를 우선적으로 꼽았다.

보험회사 CEO(회장 및 사장) 대상 설문조사 결과를 분석하여 포스트 코로나 시대에 보험 산업이 나아가야 할 방향과 풀어야 할 과제를 알 수 있었다. FP분들이 미래의 대비책을 마련하는 데 힌트가 되기를 기대한다.

1부 ────────────

2020년 돌아보기
: 상품 개발은 멈추지 않는다

1. 생보와 손보의 교집합, 제3보험은 전쟁터

현재 제3보험(건강보험) 시장에서는 생보사와 손보사의 치열한 경쟁이 진행 중이다. 손보사 영역으로 인식되어 왔던 장기인ㅅ 보험 시장에 생보사가 본격적으로 뛰어들었기 때문이다. 손보사와 생보사 중 누가 최후의 승자가 될까?

오랜 시간 제3보험 시장에서 노하우를 쌓은 손보사가 백전노장이라면 생보사는 체력의 우위를 가진 신흥 강자다. 아직까지 누가 승기를 잡을지는 미지수지만, 이들의 상품 경쟁은 가입자에게도 큰 영향을 미친다.

일각에서는 생보사가 그동안 제3보험 시장에 집중하지 않아 손해율이 낮은 만큼 경쟁에서 유리하다고 주장한다. 손보사는 그동안 판매해 온 담보에 쌓인 손해율을 보험료 인상에 반영할 수밖에 없는데, 생보사는 누적된 손해율이 없어 보험료를 더 저렴하게 제시할 수 있다는 말이다. 일견 타당해 보인다. 실제 영업 현장에서 비슷한 보장에 보험료는 동일하거나 낮으면서 환급금이 높은 생보사 상품이 나오고 있기 때문이다.

D 생명보험의 '내가 만드는 보장보험'은 암 진단비, 뇌혈관 진단비, 허혈성 심장질환 진단비, 질병(후유)장해보장(3~100%) 등의 담보에 보장금액(40세 기준, 20년납, 무해지 환급형)을 동일하게 설정하면 월 보험료가 손보사 상품보다 1~2만 원가량 저렴하다. 게다가 환급률은 더 높게 구성되었다.

생보사의 보험료가 더 저렴한 이유는 무엇일까? 담보별 손해에 따른 경험 위험률이 다르기 때문이다. 위험률이 같지 않으니 보험료 차이가 생긴다. 동일한 담보임에도 그동안 많이 판매했던 손보사는 손해율이 높은데, 생보사는 쌓인 손해율이 낮아 보험료를 더 낮게 책정할 수 있다.

반대로 생각할 수도 있다. 생보사가 새롭게 내놓는 담보는 쌓인 경험치가 없기 때문에 보수적으로 접근해야 한다. 초기 보험료를 더 많이 받아야 한다는 뜻이다. 일부 담보에는 경험치를 쌓아 온 손보사보다 더 많은 보험료를 책정해야 한다.

손해율 측면에서는 고객을 통해 추가로 안전장치를 만들 수도 있다. 위험률 통계가 적고 높은 손해율이 예상되는 담보는 스코어링을 한다. '스코어링'이란 손해율이 높은 담보 가입 시 손해율이 낮은 담보를 일정금액 이상 의무 가입하도록 해 전체 손해율을 낮추는 전략이다. 면책 기간을 늘리거나 갱신 주기를 짧게 하는 방법도 있다.

생보사의 환급률이 높은 이유는 상품 구조에서 원인을 찾을 수 있다. 손보사는 과거 갱신보험료 증가로 보험료를 납입하지 못하는 시기를 고려해 위험보험료와 적립보험료를 분리했다. 보험료 납입이 어려워지는 시기가 오면 적립보험료에서 대신 납부할 수 있도록 하는 구조다. 그런데 여기서 새로운 문제가 발생한다.

최근에는 경기 침체로 저렴한 보험료 수요가 높아진 만큼 적립보험료를 줄이거나 없애는 추세다. 대부분 순수보장비용으로 사용하는 경우가 늘고 있다. 기본계약과 선택특약에 일부 저축보험료가 포함돼 있지만 소액이어서 해지 시 돌려받는 금액이 적다. 반면 생보사는 주계약과 선택특약에 각각 저축보험료를 포함하고 있고 규모도 손보사보다 고액이어서 상대적으로 환급금이 높다.

최근 손보사는 높아진 장기보험 손해율을 보험료에 반영하고 있다. 보험료가 상승하니 가격 경쟁력이 더 떨어질 수밖에 없는 상황이다. 그렇다 보니 애초에 보험료가 낮은 무해지상품도 납기 이후 환급금을 줄여 추가로 보험료를 낮추고 있다. 그 결과 환급금 규모는 생보사와 비교해 더 떨어져 버렸다.

결국 가격 경쟁력에서 생보사가 유리할 것이란 분석이 나온다. 그동안 생보사가 주력으로 판매하지 않았던 제3보험 시장에 뛰어들면서 손보사보다 낮은 손해율 덕분에 가격 경쟁력을 갖췄다. 최근 영업 현장에서는 손보사와 비슷한 보장의 생보사 상품이 많이 판매되고 있다. 보장과 보험료는 유사한데 환급금이 높기 때문에 생보사 입장에서는 새로운 기회가 온 셈이다.

하지만 생보사 상품 구조의 특성 때문에 오히려 리스크가 클 수 있다는 우려도 존재한다. 생보사의 환급률이 높은 이유는 상대적으로 높은 저축보험료 때문이다. 하지만 2023년부터는 이 부분이 부채로 잡히는 만큼 발목을 잡을 수 있다. 새로운 회계제도IFRS17 및 지급여력제도K-ICS 도입 시 자산과 부채를 시가로 평가하기 때문에 추후 보험금으로 돌려줘야 하는 저축보험료 역시 부채로 잡힌다.

생보사 공세에 대비해야 할 손보사는 아직까지 마땅한 무기를 찾지 못한 모습이다. 사업비 증가, 언더라이팅(인수심사) 완화, 보장금액 확대 등 경쟁이 심화하면서 손해율이 높아져 운신의 폭이 크지 않아 보인다. 높아지는 손해율 개선을 위해 주요 손보사는 올해 전담 조직을 만들거나 보장금액을 축소하고 언더라이팅을 강화하는 추세다.

다만 시장에서 오랜 노하우를 쌓아 온 만큼 기존에 없었던 틈새시장을 노릴 것으로 보인다. 새로운 담보 개발을 하면 시장은 언제든 만들어진다. 기존 상품에서 중요한 담보를 분리하거나 과거에는 보장하지 않았지만 소비자 니즈를 환기시킬 수 있는 담보를 개발할 수도 있다.

대표적으로 건강보험 적용이 제한적으로 이뤄지고 있는 차세대 암 치료법인 표적 항암치료 특약이 그 예다. 올해 1월부터 4월까지 S사, H사, D사, K사의 암보험 신계약 건수는 월평균 1만 건 안팎에 머물렀다. 그런데 5월 3만 6,816건, 6월 5만 6,808건, 7월 5만 9,196건으로 5배 이상 급증했다. 이에 따라 신계약 보험료도 1분기에는 월평균 6억 원 안팎에 머물렀지만, 지난 7월에는 28억 원까지 껑충 뛰었다. 원인이 무엇일까? 업계는 표적 항암치료 특약으로 암보험 판매가 늘어났기 때문이라고 분석한다.

새로운 암 치료법으로 주목받고 있는 표적 항암제는 종양 성장과 진행, 확산에 직접 관여해 특정 분자의 기능을 방해하여 암세포의 성장과 확산을 억제하는 치료제다. 과거 항암제는 암세포와 정상세포를 모두 파괴해 일상생활을 어렵게 하는 부작용이 있었다. 이에 반해 표적 항암제는 암세포만 파괴한다. 일상생활을 병행하면서 항암 치료를 받는 시대가 된 것이다.

생존율 향상과 부작용 감소라는 효과에도 불구하고 표적 항암제는 건강보험 적용이 어려워 대부분 비급여로 처방된다. 그래서 월평균 치료비가 600~700만 원, 1인당 평균 치료비가 4,000~5,000만 원에 달한다. 암보험 가입 시 표적 항암치료 특약을 추가하면 5,000만 원가량인 치료비를 보험금으로 받을 수 있다.

생 · 손보사의 제3보험 경쟁에서 '누적 한도'도 변수다. 누적 한도는 여러 보험사에 동일 담보를 중복 가입해 고액의 보험금을 노리는 보험 가입자의 도덕적 해이를 막으려고 도입되었다. 예를 들어 입원 일당 보장은 보험사마다 1~2만 원에서 많게는 10만 원 이상으로 다양했다. 그런데 일명 '나이롱 환자'가 여러 보험사 입원 일당 담보를 가입하는 수법으로 보험금을 편취하는 문제가 발생했다. 그래서 금융당국이 일당 담보를 제한하는 지침을 내렸다.

통상 암보험의 업계 누적 한도는 1억 원에서 1억 5,000만 원 수준이다. 최근에는 치매보험의 경증치매 진단금 관련 경쟁이 과열되면서 당국이 누적 한도를 3,000만 원으로 제한했다.

이미 해당 담보에 한도까지 가입한 사람에게 새로운 상품을 판매하기는 어렵다. 기존에 손보사들이 제3보험을 많이 판매했기 때문에 암보험 등은 이미 개별 누적 한도가 찬 경우가 있기 때문이다. 결국 추가 가입이 아니라 기존 보험을 깨고 새롭게 가입시켜야 하기에 경쟁이 치열해질 수밖에 없다.

경쟁자가 늘어나면서 새로운 벽돌을 쌓아 나가는 구조가 아니라 남이 쌓은 벽돌을 허물어야 하는 시장이 되었다. 시장이 포화된 상황에서 인구 구조 변화로 유효 피보험자도 줄어들고 있다. 개별 피보험자의 누적 한도를 선점하는 것이 중요한 포인트가 될 수 있다. 특히 암, 뇌혈관, 심장질환을 보장하는 3대 진단비 영역의 누적 한도를 먼저 차지하는 것이 중요하다. 향후 컨설딩 기회를 선점하는 의미가 있기 때문이다. 제3보험 시장은 앞으로 더욱 치열한 경쟁이 예상된다.

2. 무(저)해지 상품의 질주, 하지만

2020년 보험 영업 현장에서는 보험료를 낮춘 가성비 보험이 시장을 주도했다. 생명보험은 무(저)해지 종신보험과 간병 담보를 확대한 치매보험이 인기를 누렸고, 손해보험은 고지 항목을 줄인 건강보험의 성장세가 두드러졌다. 손해보험은 유병자와 고령층을 대상으로 시장을 확대해 가는 모양새다.

생명보험 시장에서는 무(저)해지 보험의 돌풍이 거셌다. 무(저)해지 보험은 납입기간 중 해지 환급금이 없거나 적은 대신 보험료가 저렴한 보험이다. 또한 납입완료 시점에 100% 이상의 환급률을 보장한다. 이런 특성 때문에 무(저)해지 보험은 소비자와 FP 모두에게 호평을 받았다.

대형사들은 무해지 종신보다 저해지 종신보험을 적극 판매했다. 무해지는 중도 해지 시 환급금이 없어 민원이 발생할 여지가 있어 리스크 관리 차원에서 저해지를 선택한 것으로 보인다. 무해지든 저해지든 이전과는 다른 구조의 상품이 등장하면서 시장은 활기를 띠었다. 그만큼 소비자 선택의 폭은 넓어졌고, 새로운 형태의 종신보험은 인기를 끌었다.

하지만 최근 금융당국은 불완전 판매 우려 때문에 무(저)해지 상품을 제재하기로 결정했다. 금융당국의 가이드라인은 표준형 보험을 기준으로 삼았다. 중도 해지 시 환급금이 없거나 표준형 대비 환급금이 50% 미만인 무(저)해지 환급금 보험을 전체 보험기간 동안 표준형 보험의 환급률 이내로 설계하도록 제한했다.

무(저)해지 환급금 보험은 보험료 납입기간 중 해지 환급금이 없거나 표준형보다 적다. 대신 보험료를 적게 받는 구조로 소비자의 선택권을 넓히기 위해 만들어졌다. 그런데 일부 FP가 낮은 보험료에 따른 높은 환급률만을 강조하며 저축성보험처럼 판매하자 금융당국이 칼을 꺼내 들었다. 불완전 판매 소지를 미리 차단하려는 움직임이다.

따라서 개정안이 시행되면 무(저)해지 보험의 환급률을 표준형 보험의 환급률보다 높게 책정할 수 없다. 이에 무(저)해지 보험은 기존보다 환급금이 떨어질 수밖에 없다. 다만 환급금이 줄어들면 보험료 또한 같이 낮아지는 장점은 있다.

하지만 아무리 객관적으로 생각해 봐도 이번 금융당국의 제재는 아쉬운 점이 있다. 과거 소비자 선택권을 내세워 당국이 먼저 출시를 권고해 놓고 이제와 일부 부작용을 이유로 상품에 제동을 걸었기 때문이다. 그럼 과거 이 상품이 개발되었던 당시 상황을 한번 되짚어보자.

금융감독원은 지난 2015년 새로운 상품 개발을 주문한다. 보험료 부담을 낮출 수 있고 '소비자의 선택권'을 확대할 수 있는 무(저)해지 보험이다. 동일한 보장인데 보험료를 낮출 수 있으니 소비자에게도 이익이다. 좋은 개발 취지였다. 이에 2015년 하반기부터 관련 상품이 하나씩 출시되기 시작했다. 2015년 7월에 I 생명이 저해지 환급형 보험을 처음 출시했고, 주요 생·손보사가 잇따라 무(저)해지 환급형 상품을 선보였다.

이처럼 금감원의 요구로 개발된 상품인데 이제 와 금융당국이 제재를 가한다. 무(저)해지 상품을 주력으로 판매하던 FP들은 당황스럽다. 금융당국의 조치에 보험사 역시 불만을 드러내고 있다. 먼저 상품 출시를 권고해 놓고 지금은 상품 구조를 변경하라고 한다.

무(저)해지 보험은 중도 해지 리스크가 적은 만큼 소비자에게 돌려주는 환급금이 많다. 단점이 있는 만큼 장점도 큰 상품인데, 이를 제한하는 건 지나쳐 보인다. 또한 환급률이 표준형 상품과 동일해지면 장점이 없어지고 중도 해지 환급금이 적다는 약점만 남는다. 그럼 이 상품이 시장에 존재할 이유가 있을까?

최근 은행권에서 사건 사고가 많았다. DLF와 사모펀드 등 불완전 판매가 밝혀지면서 당국의 책임론이 불거지니 보험 업계에도 규제 수위를 높이는 것으로 보인다. 보험을 유지할 여력이 있으면 최적의 상품인데 구조 자체를 바꾸는 건 소비자의 선택권을 침해하는 처사가 아닐까?

이번 문제의 근본 해결책은 상품 구조 변경이 아니다. 불완전 판매 대책이다. 문제의 초점을 상품에 두지 말고 판매 행태를 개선해야 한다. 만약 일부 불완전 판매 사례에 강력한 조치가 이뤄졌다면 상품 판매 중단까지는 가지 않았을 수도 있다.

금융회사는 다양한 상품과 서비스를 개발해야 한다. 보험산업도 마찬가지다. 금융당국은 규제를 적용하여 개발 의지를 꺾지 말아야 한다. 잘못된 상품보다는 그릇된 판매 사례가 더 많고, 악용하는 판매자가 있을 뿐이다. 더 많은 소비자가 다양한 혜택을 보게 하려면 상품과 서비스에 포커스를 맞춰서는 곤란하다. 잘못된 사례와 행위를 철저히 관리 감독해야 한다. 이것이 업계의 공정한 경쟁을 유도하고 산업을 건강하게 만들기 위한 정부의 역할이다.

이번 금융당국의 제재는 많은 아쉬움을 남겼다. 향후에 나올 상품 중에도 제2의 무(저)해지 보험이 생기지 말라는 법은 없다. 좋은 취지로 개발되었으나 상품을 악용하는 일부 FP들과 금융당국의 애매한 대처가 무(저)해지 보험의 개정을 불러왔다. 생명보험 계약이 줄어드는 상황에서 주력 상품의 구조 변경은 굉장히 안타까운 일이다.

3. 비니(비대면 & 미니)보험, 이제 시작이다

젊은 세대를 겨냥한 특화 상품인 미니보험이 코로나19 사태 이후 영역을 넓히고 있다. 미니보험은 저렴한 보험료로 자신이 원하는 보장만 선택할 수 있다는 장점이 있다. 또한 비대면 시대에 맞춰 보험설계사를 따로 만나지 않아도 가입이 가능한 편리성이 주목받고 있다.

미니보험은 마치 한철만 입는 저가 의류 브랜드가 인기를 끄는 이치와 같다. 짧은 기간으로 한정해 필요한 혜택만 보장받는다. 물론 보험료는 저렴하다. 그래서 20~30대 소비자 사이에서 좋은 반응을 얻고 있다.

일본 보험 시장은 우리나라 보험업의 미래 트렌드를 예측해 보는 데 참고가 된다. 일본에서는 이미 다양한 미니보험이 출시되어 큰 인기를 끌고 있다. 대표적인 미니보험으로 '치한보험'이 있다. 월 보험료 590엔(한화 약 5,900원)의 저렴한 보험이다. 가입자에게 치한 문제가 발생해 '헬프콜'을 보내면 변호사가 역까지 달려온다. 그로 인해 발생하는 변호사 비용은 전액 보험금으로 지급된다.

국내 미니보험 시장은 아직 크게 형성되지는 못했지만, CM(사이버마케팅) 채널이 점차 확대되고 다양한 클라우드 보험 플랫폼이 속속 등장하고 있다. 시장에서는 미래 전망을 밝게 본다. 기존 보험사들 역시 최근에 온라인 전용 미니보험을 앞다퉈 출시하고 있다.

H 손해보험은 월 3,500원으로 만 0세부터 10세까지 어린 자녀의 감염, 수술, 골절을 집중 보장하는 온라인 전용 상품을 출시했다. 홈페이지와 모바일을 통해 가입할 수 있다. 결핵, 수족구, 특정 전염병 진단비 등 감염으로 발생하는 질병을 보장한다. 또한 천식, 폐렴, 아토피, 급성 기관지염, 알레르기성 비염 등 환경성 질환 입원비를 120일 한도로 지급한다. 상해 · 질병 수술비와 골절 진단비, 깁스 치료비, 골절 부목 치료비 등도 담보한다.

N 생명도 뇌와 심장질환을 보장하는 미니보험을 내놨다. 홈페이지에서 가입할 수 있는 온라인 전용 상품으로 고액 치료

비 질병인 뇌출혈과 급성 심근경색증만 보장한다. 보험 가입 금액은 최소 500만 원에서 최대 2,000만 원까지 선택할 수 있다. 보험기간에 뇌출혈 또는 급성 심근경색증을 진단받으면 보험료 납입도 면제된다.

K 생명은 보험료 부담을 대폭 낮춘 '미니보장보험'과 '미니 저축보험'을 판매 중이다. 1구좌(가입 금액 1,000만 원) 가입 시 병원에 입원하면 1일당 2만 원, 상급 종합병원에 입원하면 1일 당 5만 원의 입원비를 받을 수 있다. 크고 작은 수술에 대비할 수 있도록 수술 종류(1~5종)에 따라 1회당 10만 원에서 300만 원까지 수술비를 보장한다. 업계 최초로 미니보험 가입 고객에게 제공하는 미니 헬스케어 서비스도 있다. 일종의 건강관리 서비스다. 상품 부가서비스 애플리케이션(앱)을 통해 전문 의료진의 1대1 건강상담을 받을 수 있다. 더불어 질병 발생 시 전문 병원이나 유명 의료진을 안내하고 진료 예약 대행을 지원한다. 보험료는 월납이나 연납 형태로 납입할 수 있다.

최근 C 손해보험은 '부모님 안심 기프트보험'을 출시했다. 보험계약자인 자녀가 디지털 편의성을 활용해 청약부터 보험료 납입까지 간편하게 가입 후 부모님께 선물로 드릴 수 있는 상품이다. 가입 과정도 간단하다. 부모님 주민번호 같은 피보험자 정보를 입력하지 않아도 된다. 피보험자를 부, 모, 부모 중 히나로 선택하면 보험금 지급처가 자동 설정되는 시스템이다. 실제 청구 시에 가족관계확인서 등 관련 서류를 제출하면 된다. 담보는 골절·화상 진단비(20만 원)와 골절·화상 수술비(20만 원), 피싱 해킹(100만 원)의 특약으로 구성되어 있다. 보험료는 부모님 1명당 1만 원(일시납)이며 1년 동안 보장된다.

하지만 보험료가 저렴하다고 무턱대고 미니보험을 선택해서는 곤란하다. 미니보험은 저렴한 가격에 원하는 보장만 선택할 수 있을 뿐이다. 보장 기간이 짧거나 항목이 제한적이니 자신의 상황에 맞게 가입해야 한다. 필요한 기간 동안 특정 담보만 보장하는 상품은 앞으로도 계속 쏟아져 나오겠지만, 보장 내용과 약관을 꼼꼼히 확인해 자신에게 필요한 상품을 골라야 한다.

현재 보험사의 미니보험 판매 전략이 '박리다매'는 아니다. 잠재고객인 2030 세대의 정보를 수집하고 향후 고액 보험을 판매하기 위한 사실상 미끼상품 역할이다. 실제로 미니보험에 가입한 고객의 정보를 마케팅 활용 동의를 받아 합법적으로 사용할 수 있다는 점이 이를 반증한다.

한편으로는 보험사의 기대도 있을 것이다. 비대면 채널이 보다 발전하고 보험 플랫폼이 본격적으로 자리를 잡으면 미니보험 시장은 더 커질 전망이다. 보험업계의 향후 10년을 책임질 새로운 먹거리가 될 것이라는 예상도 가능하다.

오랫동안 보험업은 소비자의 불안감을 담보로 판매하는 상품이라는 부정적인 인식이 있었다. 보험 상품의 기본 속성 때문이다. 하지만 비니(비대면 & 미니)보험 시장이 활성화되면 보험에 대한 인식도 바뀔 가능성이 크다. 소비자가 보험을 '자발적으로' 구매하는 시대가 올 수도 있다. FP들에게 비니(비대면 & 미니)보험의 도래는 위기이자 기회이다.

4. 맞춤형 자동차보험의 탄생

'쓴 만큼 낸다'는 기치를 내건 C 손해보험의 기세가 상당하다. 2020년 1월 영업을 개시하면서 시장에 선보인 자동차보험이 업계의 이목을 끌었다. 신생 C 보험사가 손보업계 다크호스로 떠오를지 관심이 모아진다.

C 손보가 내놓은 상품은 왜 주목받고 있을까? 상품을 통해 보험 상품 트렌드의 일면을 들여다보자. 이 회사는 최근 퍼마일Per Mile 자동차보험을 출시했다. 퍼마일은 마일Mile 단위Per로 보험료를 낸다는 의미다. 연간 주행거리가 개인마다 제각각인 점을 고려해 맞춤형 차보험을 제공하겠다는 취지로 개발된 상품이다.

기존 자동차보험에도 주행거리만큼 할인 혜택을 제공하는 특약이 있다. 하지만 대부분 주행거리가 2~3,000km 단위로 구분돼 있어 개인에게 딱 맞는 할인을 받기 어렵다. 하지만 퍼마일 보험은 1km 단위로 주행거리를 설정해 세부적인 보험료 산정이 가능하다.

퍼마일 보험에 가입하면 '플러그'라는 장치를 받는다. 일종의 택시 미터기다. 자동차에 설치하면 운행거리가 집계되고 이를 토대로 보험료가 산정된다. 가입자는 앱을 통해서도 자신의 운행거리를 확인할 수 있다. 상품 약관에는 주행거리를 성실히 측정해야 할 의무 등이 포함되어 있다. 보험료 산정의 핵심 기준이 주행거리이기 때문이다. 성실 측정 의무를 이행하지 않으면 보험 가입 유지와 보험금 수령이 어려울 수 있다.

퍼마일 보험료는 가입 차종과 사고 이력 등을 반영한 킬로미터당 보험료에 각종 사업비를 포함한 기본보험료를 더해 산정한다. 전체 요율 등에 기반해 보험료를 일괄 산정하는 기존 방식과는 전혀 다르다. 100% 디지털로 운영하기 때문에 판매 수수료 같은 사업비도 대폭 낮출 수 있다. 평일 출퇴근은 대중교통을 이용하고 주말에 한두 번 차를 모는 경우에는 보험료 인하 효과가 상당히 클 것으로 예상된다.

일부에서는 퍼마일 보험이 출시된 지 1년도 채 안 된 점을 고려하면 향후 상황을 좀 더 지켜봐야 한다고 말한다. 특히 정확한 주행거리 측정이 중요하고 보험금 청구 과정에서 어떤 형식의 갈등이 표출될 수 있을지 지켜봐야 한다는 의견이다.

C 손보는 지난해 한화손해보험과 SK텔레콤, 현대자동차 등이 공동 출자해 설립했다. 설립 당시 자본금은 516억 원이다. 지분은 한화손보 68.34%, SK텔레콤 9.01%, 알토스벤처스 9.01%, 스틱인베스트먼트 9.01%, 현대차 4.64%로 구성되었다. 최근 대주주가 한화손해보험에서 한화자산운용으로 변경되기도 했다.

아직 문을 연 지 1년이 지나지 않았기 때문에 성과를 평가하기엔 이르지만, 디지털 진출을 주요 과제로 꼽는 손보업계에서 적지 않은 주목을 받고 있다. 디지털 혁신은 보험업계 주요 화두 중 하나다. 공급자 중심에서 소비자 중심으로 체질을 개선하고 다양한 IT업체와 경쟁하기 위해서라도 반드시 추진해야 한다. 이런 상품에 눈길이 쏠릴 수밖에 없는 이유다.

보험업계는 보수적이다. 기존 보험사 중에 C 보험사의 성공 가능성을 높게 본 곳은 많지 않았을 것이다. 하지만 새로운 방식의 상품은 손보업계 사각지대를 절묘하게 메우고 있는 느낌이다. 소비자 관점에서 출발한 상품 개발은 마땅히 높게 평가받아야 한다. 다음에 또 어떤 상품이 출시될지 기대가 된다.

5. 민식이법이 살린 운전자보험

운전자보험은 교통사고 시에 형사 및 행정 비용을 보장하기 위한 상품이다. 피보험자 자신의 피해를 보장한다는 점에서 자동차보험과 차이가 있다. 의무가 아니라 개인 선택에 따라 가입할 수 있다. 그래서 필요성을 느끼지 못하는 운전자도 많다. 하지만 12대 중과실처럼 운전자 과실이 인정되는 교통사고를 내면 상황이 달라진다. 벌금, 형사 합의금, 변호사 선임비 등을 보장받을 수 있다는 점만으로도 유용함이 많은 상품이다.

단, 음주운전, 무면허운전, 뺑소니 사고 등은 보장하지 않는다는 점에 유의해야 한다. 운전자보험의 주요 역할은 교통사고가 발생했을 때 형사 및 행정 처분을 원만히 해결하는 것이다.

자동차보험은 피보험자가 구속, 기소되는 상황을 보장하지 않기 때문에 이를 운전자보험으로 보완하는 것이다. 비용도 크게 부담스럽지 않다. 월 1~3만 원의 보험료로 여러 상황을 보장받을 수 있다. 자동차보험과 달리 매달 납입하는 형태라 일시에 납부하는 부담도 없다.

운전자보험과 자동차보험의 보장 차이를 보면 필요성을 실감할 수 있다. 자동차보험의 보장은 대물배상, 대인배상, 자기차량 손해, 자기신체 손해 등으로 이루어져 있다. 반면에 운전자보험은 벌금, 형사 합의금, 변호사 선임 비용 등을 포괄적으로 보장한다. 사고의 직접 피해 이외에 법률적인 측면에서 발생하는 각종 비용을 추가로 보상한다는 점이 핵심이다.

운전자보험은 주계약보다는 특약 담보가 중요하다. 꼭 가입해야 할 특약은 운전자 벌금, 교통사고 처리 보상금, 변호사 선임 비용이다. 운전자 벌금 특약은 피보험자가 12대 중과실, 위험사고 등의 이유로 교통사고를 냈을 때 유용하다. 타인의 신체 또는 재산에 피해를 입혀 벌금형을 받으면 이를 보장한다. 도로교통법 151조에 따라 법원이 확정 판결하면 2~3천만 원 한도 내에서 보장받을 수 있다.

벌금 한도는 최근 운전자보험에서 가장 주목받는 이슈다. 이전까지 대다수 상품의 한도는 2천만 원이었다. 도로교통법 위반에 부과되는 벌금의 최고 한도가 2천만 원이라는 점에 맞춰 보험사가 설정한 금액이다. 하지만 현재는 이른바 '민식이법'에 따라 최고 한도가 3천만 원으로 늘어났다. 올해부터 어린이 보호구역에서 운전자의 과실로 어린이 사고가 발생하면 최대 3천만 원까지 가중처벌하게 되었다.

관련법이 시행된 후 운전자보험을 향한 관심이 커졌다. 새로 가입하는 운전자도 늘었고 이전 보험을 해지하고 재가입하는 경우도 많아졌다. 다만 대부분 운전자보험은 별도 특약으로 벌금 한도를 상향 조정할 수 있다. 따라서 벌금 한도 상향만이 목적이라면 기존 보험을 해지할 필요는 없다.

또한 해당 보장은 여러 상품에 가입하더라도 중복 보장되지 않는다. 벌금 보장은 확정 판결된 벌금에 한해 이뤄진다. 만약 2개 보험에 가입했다면 2개 보험사가 보험금을 나눠 지급한다. 결국 피보험자가 수령할 수 있는 보험금은 1개 상품에 가입했을 때와 동일하니 주의해야 한다.

2020년 상반기 마지막을 달군 손보업계 이슈는 운전자보험 과당 경쟁이었다. 그 배경에는 최근 시행된 민식이법이 있다. 민식이법 시행에 따라 스쿨존 내 제한속도(시속 30㎞) 위반으로 어린이에게 상해를 입히면 1년 이상 15년 이하 징역이나 500만 원 이상 3,000만 원 이하 벌금이 부과된다. 만약 어린이가 사망하면 최하 3년 이상 최고 무기징역까지 받을 수 있다. 강화된 법규정으로 보장이 확대된 운전자보험의 가입 수요가 늘었다. 이에 착안해 손해보험사는 운전자보험 판매에 드라이브를 걸었다.

먼저 D 손보는 민식이법 시행일인 3월 25일에 맞춰 신상품을 개발했다. 타사와 차별화를 위해 손해보험협회에서 해당 상품의 배타적 사용권도 획득했다. 배타적 사용권은 형사 합의금에 관한 것이다. 중대 법규를 위반해 교통사고로 타인에게 6주미만 진단의 상해를 입히면 형사 합의금을 지원한다. 만약 피해자에게 합의금을 지급했다면 300만 원 한도로 보상을 받는다.

이후 S 화재가 운전자보험 약관을 변경해 담보를 강화했다. '스쿨존 6주 미만' 사고에 한해 기존 교통사고 처리 지원금 특약으로도 최대 500만 원까지 보상받을 수 있도록 변경했다. 금액 차이가 있지만, 6주 미만 상해 보장 등 내용이 유사하다며 D사는 배타적 사용권 침해 신고를 했다. 그만큼 운전자보험은 손보업계의 핫 이슈였다. 결국 S 화재가 해당 사안의 마케팅을 잠정 중단하기로 합의하면서 사태는 일단락되었다.

2020년 운전자보험은 민식이법이 살렸다고 해도 과언이 아니다.

2021년 미리 보기
: 새로운 시장은 언제나 있기 마련이다

1. 건강증진형 (헬스케어 서비스)보험의 도약

보험 산업이 포화 상태로 접어들어 위기라는 시각이 팽배하지만 한편에선 도약하기에 적기라는 전망도 있다. 바로 헬스케어 서비스 시장이 커지고 있기 때문이다. 웰빙이라는 화두 속에 일상생활에서 꾸준히 건강을 챙기고 컨디션을 관리하는 인구가 늘어나고 있다. 이에 발맞춰 성장하는 헬스케어 시장은 보험사들도 크게 주목하는 분야가 되었다.

보험사의 헬스케어 서비스는 회사와 가입자에게 모두 이익을 줄 수 있다. 가입자는 스마트폰을 통해 각종 건강 정보를 제공받아 생활 습관을 고치거나 건강을 개선시킬 수 있다. 이에 맞춰 보험사는 보험료 인하 등 경제적인 보상을 해 준다. 가입자는 건강도 챙기고 경제 혜택도 얻는 셈이디. 보험사 또한 이득이 많다. 고객의 건강이 좋아지면 손해율이 떨어지고 보험료를 인하할 여력도 생긴다. 이처럼 헬스케어 서비스는 고객과 보험사 모두 원원WIN-WIN인 상품이다.

현재 보험 시장에서는 보험 상품의 상향 평준화로 각 보험사의 보장 담보 구성과 특징이 비슷해졌다. 이에 따라 소비자를 유인할 수 있는 효과가 떨어진 것이 사실이다. 돌파구가 필요한 상황에서 헬스케어 서비스가 새로운 성장 동력으로 각광받기 시작했다. 그래서 보험사들도 각별한 노력을 기울이고 있다.

생·손보사들이 2020년 4월 출시한 헬스케어 서비스 상품은 두 달 만에 6만 371건이 판매되었다. 보험 신계약에 의한 초회보험료(1회 차)는 37억 5,000만 원에 달한다. 생보사들은 헬스케어 서비스를 제공하는 건강증진형 상품 개발에 열을 올렸고 틈새시장 개척에 성공한 모습이다.

헬스케어 서비스 상품의 개발 배경에는 '건강관리 수요 증가'가 가장 큰 비중을 차지한다. 고령화 추세에 따라 '건강'은 모든 산업의 주요 테마가 되었다. 보험사 입장에서는 장기 가입률 유지에도 좋은 전략이다. 또한 저축성보험 비과세 축소, 변액보험 판매 축소 등의 이유로 새로운 시장 개척이 요구되었다고 할 수 있다.

N 생명은 건강증진형 상품 콘셉트에 맞춘 특화 서비스를 개발 중이다. M 생명도 헬스케어 서비스 영역을 확대하고 있다. 이를 위해 올해 초 신설된 건강보험팀에서 빅데이터를 활용해 헬스케어 관련 상품을 만들고 있다. A 생명은 회사 온라인 채널 브랜드인 'A 인터넷보험'을 통해 관련 사업을 진행하고 있다. 리워드

형 헬스케어 앱 서비스 업체인 '캐시워크'와 MOU를 체결했다는 소식도 들린다. 공동으로 상품을 개발 중이라고 알려졌다.

H 생명은 건강상담(직계가족 상담 예약 포함), 전국 병의원 정보 제공 및 진료 예약, 분야별 명의 정보 제공 및 예약 대행, 맞춤 건강검진 설계 및 중대질환 에스코트, 상조 연계 서비스, e-건강 월간지 서비스를 제공하고 있다. 그야말로 종합 서비스인 셈이다.

손해보험사들은 IT업체와의 제휴를 통해 헬스케어 서비스 폭을 넓히고 있다. 또한 보험 상품에 전문 의료진 건강상담, 병원 진료예약 대행, 건강검진 우대 등 헬스케어 서비스를 접목하고 있다.

K 손해보험은 올해 초 세브란스병원, 레몬 헬스케어와 함께 플랫폼 구축에 나섰다. 의료 협력체계 구축, 보험금 간편 청구 프로세스 등 보험 관련 디지털 서비스 개발이 목적이다. S 화재는 진료예약 서비스를 제공한다. 이를 위해 15개 진료과 전문의와 임상경험이 풍부한 간호사로 구성된 전문 팀을 만들었다. 의료진은 1대1 전화로 건강상담을 진행하고 필요하다면 전국 30여 군데 대형병원에서 진료를 받을 수 있도록 예약을 돕는다. 또 전국 90여 개의 대형병원과 네트워크를 구축해 맞춤형 검진 패키지 서비스를 제공한다.

"가명 처리된 질병 정보 등은 고객 본인의 동의 없이 활용이 가능하다." 얼마 전 금융위원회는 보험업계의 질의에 새로운 유권 해석을 내놓았다. 가명으로 처리된 데이터는 정보 주체를 알수 없어 본인 동의를 받는 것이 불가능하기 때문에 연구, 통계 작성, 공익적 기록 보존 목적으로는 활용이 가능하다는 뜻이다. 특정 개인을 알아볼 수 없도록 처리된 비식별 데이터는 민감성도 낮다. 참고로 지금까지는 개인의 건강 정보가 민감 정보로 지정돼 본인 동의를 받지 않으면 보험사가 사용할 수 없었다.

이제는 고객 본인의 동의가 없더라도 보험사가 보유한 질병·상해 등 건강 관련 데이터의 상업적 사용이 가능해졌다. 보험사가 새로운 위험률을 적용한 상품을 개발하거나 건강증진형(헬스케어) 서비스를 도입할 때 우리나라 국민의 건강 정보를 활용할 수 있다는 의미다. 지금까지는 해외 데이터를 구해 신상품이나 서비스를 개발해 왔다. 또한 각 기업이 가진 가명 정보 결합도 가능해진다. 이를 통해 건강관리에 초점을 맞춘 신상품을 개발해 새로운 고객을 유치할 수 있는 길도 열렸다.

이번 유권 해석으로 건강증진형보험 개발이 보다 활성화될 것으로 보인다. 지금까지 보험 상품은 사고가 난 후에 보험금을 지급해 재정 지원을 하는 형태였다. 하지만 앞으로는 데이터를 가공해 질병을 사전에 예방하는 형태로 발전할 것이다.

다만 당장 큰 성과를 기대하기는 어려워 보인다. 헬스케어, 건강증진형 상품이 시장을 주도하기 위한 선결 조건이 있기 때문이다. 데이터 3법 통과에도 불구하고 여전히 의료법 등이 걸

림돌로 작용하고 있다. 다만 헬스케어 관련 서비스가 보험업이 나아가야 할 길이라는 공감대가 형성된 만큼 계속해서 다양한 시도가 이뤄질 것이다.

해외에서는 이미 패러다임이 바뀌고 있다. 유수의 보험사들이 헬스케어를 중심으로 보험의 프레임을 '사후 보완책'에서 '사전 예방'으로 전환하고 있다. 헬스케어는 기존에 포화된 보험 시장을 벗어나 새롭게 도약할 수 있는 분야다. 따라서 보험사는 스마트 기기를 활용해 더욱 다양한 서비스를 제공하면서 본격적인 성장을 준비해야 한다.

디지털 헬스케어 시장은 곧 다가올 보험사의 미래다. 다만 보험에 대한 인식 전환과 함께 이뤄져야 하는 만큼 중장기적인 접근이 올바른 방향이라 생각한다. 질병의 예방 및 치료, 회복에 이르기까지 국민 건강을 지키면서 동시에 보험사가 또 다른 기회를 창출할 수 있을지 주목되는 2021년이다.

2. 밀레니얼 세대에게는 다른 접근법이 필요하다

실생활에 꼭 필요한 보장과 값싼 보험료를 무기로 내세우는 '미니보험(소액단기보험)' 시장이 새해에도 계속 확대될 전망이다. 생보사 · 손보사, 대형사 · 소형시 구분 없이 너도나도 미니보험 상품을 개발하고 있다. '저출산 · 저성장 · 저금리'라는 삼중고에 코로나19까지 겹치면서 보험사는 수익성 악화에 시달리고 있다. 위기를 돌파하기 위해 뭐라도 해야 하는 상황이다. 이런 분위기에서 생활 밀착형 보험인 미니보험을 마다하는 보험사는 없다. 모두가 적극적으로 개발에 나서고 있다.

밀레니얼 세대의 특성도 상품 개발의 한 원인으로 작용했다. 2030 세대는 이전 세대에 비해 보험 가입 필요성을 절실히 느끼지 못한다. 보험 상품 자체를 선호하지 않을뿐더러 FP와의 만남도 부담스러워한다. 이런 밀레니얼 세대를 공략하려면 기존과 다른 상품이 필요하다.

미니보험은 보장 범위가 작거나 보장 기간이 짧은 대신 보험료가 소액이다. 예를 들어 암 중에서도 유방암만 보장하는 식으로 기존 보험의 보장 범위와는 다른 형태로 구성된다. 미니보험 중에는 생활 밀착형 보험도 많다. 스키보험, 여행자보험, 휴대폰파손보험 등이다. 일상 생활에서 누구에게나 발생할 수 있는 위험을 월 1만 원 혹은 1,000원 이하의 보험료로 보장해 준다. 소액보험료로 그에 맞는 적절한 보상을 해 주는 보험이다.

보험사는 그동안 주계약에 다양한 특약을 부가하는 방식으로 상품을 만들어 왔다. 상품에 따라 수십 개의 특약을 설계하는 보험도 있다. 소비자 선택의 폭을 넓힌다는 좋은 취지도 있으나 끼워팔기 의도도 없지는 않다. 무엇보다 새로운 위험을 보장하는 신상품을 개발하기가 어렵다는 단점이 있다.

소비자는 과거보다 더 스마트해졌고 니즈 역시 다양해졌다. 하나의 상품에 다양한 특약을 설계해 판매할 수 있는 시대는 이미 지나가고 있다. 이제는 소비자가 원하는 특정 보장에만 집중해 상품을 개발하는 분위기다. 자연스레 미니보험 시장이 커질 수밖에 없다. 특히 대형 보험사의 움직임이 예사롭지 않다. 미니보험이 등장한 초반에만 하더라도 인지도 향상과 틈새시장 공략을 위해 중소형 보험사가 상품 개발을 주도했다. 하지만 지금은 국내 대형사들도 적극적으로 미니보험 시장을 공략 중이다.

보험료가 싼 미니보험은 대면 채널보다는 온라인 채널에 더 적합하다. 그래서 인터넷·모바일 등 온라인 채널을 키우기 위해 미니보험을 활용하기도 한다. 향후 소비자의 다양한 수요를 충족시키고 시장을 더욱 활성화하기 위해서 미니보험 전문회사도 등장할 전망이다. 정부와 국회는 소비자 선택권 확대를 위해 실생활 밀착형 소액·간단보험만을 전문적으로 취급하는 소액단기보험사 도입을 추진 중이다.

현행 보험업법에 따르면 사업자가 보험업을 영위하려면 생명보험은 200억 원, 질병보험은 100억 원, 도난보험은 50억 원의 자본금이 필요하다. 소규모·단기보험 등 리스크가 낮은 보험만을 판매하려 해도 일반보험과 동일한 수준의 자본금이 요구되다 보니 신규 사업 등록이 쉽지 않다. 소규모 자본으로 소비자 실생활 밀착형 미니보험만을 전문적으로 취급하려는 사업자에게 보험업은 진입장벽이 높은 편이다.

이에 자본금 요건을 대폭 완화해 다양한 사업자가 진출할 수 있는 여건을 조성해야 한다는 주장이 제기되고 있다. 하루빨리 소액단기보험업 신규 도입의 법적 근거가 마련되기를 바란다. 그것이 급변하는 금융 시장의 변화를 수용하고 다양해진 금융 소비자의 요구를 반영하는 길이다.

보험은 니즈 환기가 필요한 무형의 푸시Push 상품이다. 니즈 환기라는 어려운 과정이 있기 때문에 대면 영업이 필요했다. 하지만 밀레니얼 세대가 주축인 시대가 오면 상황이 변할 수 있다. 그들은 누군가와 만나거나 통화하기보다 SNS를 이용한 소통에 익숙해져 있기 때문이다. 또 새로움을 추구하는 세대인 만큼 기존 금융회사보다는 신선한 핀테크 회사에 더 관심을 가질 가능성이 높다. 결국 상품도 서비스도 시대에 맞게 진화하는 것이다. 밀레니얼 세대와 비니(비대면 & 미니)보험의 궁합은 상당히 좋아 보인다.

3. 퍼플오션! 유병자보험

레드오션Red ocean, 블루오션Blue ocean이라는 용어는 경영학의 전략 분야에서 등장하는 말이다. 레드오션은 경쟁이 치열한 포화 상태의 시장을 의미하고, 블루오션은 경쟁자가 없는 유망한 시장을 뜻한다. 그럼 보험 시장은 어떤 시장이겠는가? 아쉽지만 보험 시장은 레드오션이라는 것이 대다수 시각이다. 그렇다면 이렇게 어려운 시장을 어떤 전략으로 타개할 수 있을까?

최근 퍼플오션Purple ocean이라는 말이 유행이다. 빨간색과 파란색을 섞으면 보라색이 된다. 이에 비유해 레드오션에서 발상의 전환을 통해 새로운 가치의 시장을 만들자는 것이 바로 퍼플오션 전략이다.

국내 보험 시장은 새로운 먹거리 확보가 절실한 상황이다. 보험업에서 전략은 크게 두 가지다. 신상품 개발 혹은 새로운 시장 발굴이다. 그럼 새로운 시장이란 무엇인가? 지금까지 없던 시장이다. 그간 보험 가입 대상으로 보지 않았던 계층이 소비자가 될 수도 있다. 예를 들어 고령자 혹은 유병자다. 고령자는 나이가 많아 가입에 제한을 두던 고객이고, 유병자는 과거 치료력이 있어 보험 가입을 거절당한 사람이다.

보험 산업이 한창 성장할 때는 유병자에게 엄격한 기준을 적용했다. 굳이 유병자를 가입시켜 리스크를 부담할 이유가 없었기 때문이다. 현장에서 오랫동안 일해 왔던 FP의 말에 따르면 과거에는 건강검진을 통해 거절된 계약도 많았다고 한다. 보험사가 철저히 위험 관리를 해 왔던 것이다.

그랬던 보험사가 바뀌고 있다. 예전에는 유병자 가입을 거절하는 경우가 많았으나 이제는 적극적으로 유치하려고 한다. 한 보험사의 상품을 보면 변화를 알 수 있다. 유병자를 위해 출시한 간편보험의 보장 한도가 3년도 지나지 않아 1억에서 5억, 다시 10억으로 대폭 증가했다. 그리고 어떤 보험사는 간편보험의 한도를 20억 원으로 늘렸다. 왜 보험사의 정책이 바뀌었을까? 이는 많은 보험사가 퍼플오션으로 유병자 시장을 주목했기 때문이다.

새해에도 보험사들은 가입 절차를 최소화한 간편심사·간편고지 상품을 시장에 적극 출시할 것이다. 저출산·고령화로 국내 보험 시장이 포화 상태에 이르면서 영업 환경이 갈수록 어려워지고 있다. 따라서 새로운 고객층으로 급부상한 고령자 및 유병자를 선점·흡수하기 위해 전력을 다할 것으로 예상된다. 간편보험을 넘어선 초간편보험 시장의 경쟁이 갈수록 치열해질 수밖에 없는 이유다.

작년에도 H 생명은 새해 첫 신상품으로 간편심사를 통해 유병자·고령자도 가입이 가능한 '간편가입 100세 건강보험'을 출시했다. 해당 상품은 간편심사를 통해 과거 병력이 있는 유병자도 가입이 가능한 상품이다. 또한 가입 연령 범위도 기존 최대 70세에서 80세까지로 넓어졌다. 간편심사를 통해 저렴한 보험료로 고혈압·당뇨 환자는 물론 80세 고령자도 가입할 수 있게 만들었다. 그동안 보험 사각지대에 있던 고객도 손쉽게 가입할 수 있는 상품이다.

같은 날 N 생명도 신상품 '하나만 묻는 암보험(갱신형, 무배당)'을 시장에 선보였다. 하나의 고지사항으로 유병자도 가입이 가능해 간편보험(3·2·5보험)을 넘어 초간편보험으로 불리는 상품이다. 고객 가입 편익 확대를 위해 기존의 3가지 질문을 1가지로 대체했다. 암·제자리암·간경화 치료 사실만 없다면 고령자 및 유병력자도 가입할 수 있도록 폭을 넓혔다. 해당 상품 역시 30세부터 80세까지 가입 가능하며 15년 단위 갱신형 상품으로 최대 100세까지 보장한다.

보험개발원에 따르면 간편심사보험이 시장에 처음 나온 2012년 당시 11만 명에 불과했던 가입자 수는 2016년 기준 80만 명으로 증가했다. 간편심사보험은 고령이나 과거 병력 때문에 가입이 힘들었던 기존 보험 소외계층에게 문턱을 대폭 낮춘 상품으로 흔히 유병자보험으로 불리기도 한다. 보험료는 일반보험 대비 1.1~1.5배 비싸지만 고령자나 유병자에게는 환영받는 상품이다.

보험사는 가입 연령과 보장 범위를 확대하며 지난해에 이어 올해도 간편보험 시장 공략에 박차를 가할 것으로 보인다. 고령화 시대를 맞아 보험 가입을 원하는 노인층과 유병력자가 급속도로 증가하기 때문이다. 물론 20~30대 젊은 세대의 보험 가입 외면 현상도 영향을 끼쳤을 것이다.

보험사는 계속해서 신규 계약을 창출해야 하는데 새롭게 사회로 나오는 인구가 줄어들면서 성장에 한계를 느끼고 있다. 더구나 지금의 사회 초년생은 보험 가입을 예전만큼 하지도 않는다. 이런 상황에서 어떤 선택을 해야 할까? 분명한 사실은 더 이상 젊고 건강한 사람만을 대상으로 매출을 늘리기에는 한계가 있다는 점이다. 대신 수요가 확실한 유병자 시장 선점이 좋은 전략이지 않을까?

건강하고 젊은 사람은 보험의 필요성을 거의 느끼지 못하는 반면에 유병자나 고령자는 보험 가입을 원하는 확실한 고객층이다. 이들을 주 대상으로 하는 간편보험은 이제 틈새시장이라고 칭하기 어려울 정도로 시장 규모가 커졌다. 현장의 발 빠른 FP들은 유병자 시장에 이미 주력하는 모습이다.

고혈압이나 당뇨 등을 앓는 만성질환자뿐만 아니라 최근 몇 년 내 가벼운 병력을 가지고 있는 소비자들이 간편보험 가입 대상자다. 또한 특정 부위에 부담보 없이 바로 가입을 원한다면 간편보험이 좋은 대안이 될 수 있다. 이처럼 유병자보험은 소비자에게 여러모로 효용이 큰 상품이다. 그렇다면 보험회사 입장에서는 어떨까? 일반보험에 비해 손해율이 높으니 리스크가 큰 상품일까? 전혀 그렇지 않다. 일정 부분 보험료 할증이 이뤄지기 때문에 일부에서 우려하는 위험 요소는 미미하다. 따라서 유병자보험은 보험사 입장에서도 충분히 매력적인 시장이다.

지금 독자 여러분의 타깃 시장이 없다면 유병자 시장을 권하고 싶다. 보험 산업에서 블루오션이 없으면 어떤가? 우리에게는 아직 퍼플오션의 기회가 남아 있다. 2021년, 당신만의 퍼플오션을 만들기를 기원한다.

4. 모빌리티보험의 탄생과 과제

모빌리티 생태계의 변화에 따라 보험 산업도 맞춤 대응 방안을 모색할 때다. 도시화의 가속화, 인구 구조 변화, 교통 혼잡, 환경 문제, 비효율성 등의 문제로 모빌리티 시스템 구축의 필요성이 높아졌다. 효율성이 높으면서도 환경 친화적인 이동수단이 요구되는 시대가 되었다. 이에 따라 자율주행차부터 전기차, 전동 킥보드, 전기자전거 등이 다양하게 활성화되고 있다.

향후 '자율주행 기술'과 '모빌리티 서비스'의 융합으로 자율주행차, 로봇 택시, 드론 셔틀 등의 서비스가 확대될 것으로 예상된다. 전기자전거, 전동 킥보드, 전동 휠 같은 퍼스널 모빌리티 시장의 성장세도 꾸준하다. 모빌리티 환경의 변화는 기존 자동차 산업의 패러다임뿐만 아니라 사회 시스템까지 전반적으로 바뀌 가고 있다. 이에 자동차보험을 비롯한 보험 산업 환경도 영향을 받을 것이다.

또한 퍼스널 모빌리티가 활성화되면서 새로운 서비스를 개발하거나 공급하는 업체가 많이 생겨날 전망이다. 아울러 퍼스널 모빌리티 서비스의 사고 문제도 빈번할 것으로 예상된다. 모빌리티의 안정성은 배상 책임 문제와 연계되어 주요 쟁점이 될 수 있다. 정부는 이러한 환경 변화에 발맞춰 합리적인 규제 수준을 정립해야 한다. 보험회사 역시 보장 공백이 생기지 않도록 역할에 충실해야 한다.

얼마 전 테슬라의 오토파일럿(자율주행) 기능을 켠 채 차 안에서 술을 미시는 청년들의 영상이 화제가 되었다. 미국 청년 3명이 달리는 차에서 맥주를 마시며 노래하는 영상이었다. 차량은 시속 60마일(약 96km/h)로 고속도로를 주행하고 있지만, 운전석은 텅 비었고 차 안 곳곳에 맥주 캔이 뒹굴고 있었다.

테슬라 등 일부 자동차는 이미 운전자의 조작 없이 스스로 운행하는 높은 수준의 자율주행기술을 개발했다. 문제 영상 속 차량도 운전석에 아무도 없는 상태에서 스스로 고속도로를 달렸다. 현재까지 출시된 자율주행차는 레벨 2~3 수준에 해당한다. 미국 청년들이 타고 있던 테슬라의 '모델S' 역시 레벨 3이었다. 레벨 3 차량의 운전 제어권은 사람에게 있다. 따라서 반드시 운전자가 필요하며 술을 마시고 운전하면 음주운전이 된다.

미국 자동차공학회SAE에 따르면 자율주행차 기술은 레벨 0 부터 5까지 총 6단계로 구분된다. 레벨 0은 인간이 차량을 모두 제어하는 전통적 주행 단계이고 레벨 2와 레벨 3은 부분 자율주행이다. 인간이 차량 운행에 전혀 개입하지 않는 완전 자율주행은 레벨 5에 해당한다. 레벨 5 차량의 운전 제어권은 인간이 아닌 AI에게 주어진다.

만일 자율주행 중 사고가 난다면 어떻게 될까? 우리나라에서 운전 중 사고를 내면 도로교통법 및 교통사고 처리 특례법에 따라 운전자가 형사 책임을 진다. 사람을 운전자로 규정하는 현행법상 자율주행 중 사고가 발생해도 모든 책임은 운전자에게 있다. 그런데 이렇게 일률적으로 처리하면 억울한 운전자가 생길 수 있다. 만약 차량에 결함이 있다면 운전자에게 전적으로 책임을 부과할 수는 없기 때문이다.

2020년 10월 시행된 개정안에서 이를 명확하게 규정했다.

자율주행 자동차 사고가 발생할 경우 일차적으로 운전자가 책임을 진다. 대신 이후에 자동차 결함이 있다고 판명되면 운전자는 차량 제조사에 구상권을 행사할 수 있다. 사고 원인에 따라 운전자가 아니라 차량 제조사가 책임을 질 수도 있다는 뜻이다.

이러한 모빌리티 환경 변화에 따라 자율주행차 보험 상품도 변하고 있다. 업무용 자율주행차 전용 보험 특약이 출시되기 시작한 것이다. 금융위원회와 금융감독원은 자동차손해배상법령 개정 사항(2020. 10. 8. 시행)을 반영한 업무용 자율주행차(상용차) 전용 특약 상품을 보험사들이 판매할 수 있도록 허가했다.

또한 국토교통부의 자율주행차 안전기준 제정(2020년 7월 시행) 및 자동차손해배상 보장법 개정(2020년 10월 시행)에 따라 2020년 10월부터 부분 자율주행차(레벨3) 상용화를 위한 법적 기반이 마련되었다. 금융당국은 4차 산업혁명 중 주요 기술인 자율주행차 발전에 부응하기 위한 조치라고 설명했다. 자율주행차 사고 시 보상 관계를 명확하게 하려면 자율주행차 전용 보험이 필요하다는 의견이다.

업무용 자율주행차 전용 보험은 약관에서 교통사고 보상을 명확히 설명하고 있다. 사고 발생 시 보험사가 선보상 후 자율주행차 결함 여부에 따라 제조사에 청구할 수 있도록 했다. 이와 힘께 자동차 소유자의 사고 원인 조사 협조의무 등을 약관에 명시했다. 보험료는 시스템 결함, 해킹 등의 위험도를 감안해 현행 업무용 자동차보험료보다 3.7%가량 높은 수준이다.

2020년 9월 말부터 12개 손해보험사들은 업무용 자율주행차 전용 특약 판매가 가능해졌다. 다만 개인용 자율주행차 보험은 보류되었다. 업무용 자율주행차 전용 특약을 운영한 뒤 해당 통계를 활용해 2021년에 다시 추진할 계획이다.

보험회사는 모빌리티 서비스 공급자에게 발생하는 새로운 리스크를 보장하여 향후 안정적인 공급 시스템을 구축하는 데 기여할 수 있다. 모빌리티 서비스 이용자에게는 적절한 보험 상품을 제공하고, 모빌리티 업체의 서비스 개발에 협력하는 것이 보험회사의 역할이다. 아울러 모빌리티 서비스 이용 형태가 소유에서 공유로 변화하고 있다는 사실에도 주목해야 한다.

우버Uber와 리프트Lyft 같은 공유 경제 기반의 모빌리티 서비스는 이미 세계적인 대세가 되었다. 더 나아가 '통합 교통 서비스Maas: Mobility as a Service'도 추진되고 있다. Maas는 핀란드 헬싱키에서 처음 시작되어 알려진 시스템으로 모든 운송수단의 서비스화를 뜻한다. 하나의 앱에서 목적지만 지정하면 필요한 모든 운송수단의 예약과 결제까지 도와주는 시스템이다. 그야말로 디지털 플랫폼의 결정판인 셈이다. 당연히 이런 서비스의 공급자 역시 앞으로 많아질 전망이다.

향후 모빌리티 서비스의 안전성은 계속 이슈가 될 것이다. 사고 관련 배상 책임 역시 주요 쟁점으로 다뤄질 수밖에 없다. 아울러 데이터 보안, 개인정보 유출, 사생활 침해 논란 등도 지속적으로 사회 문제가 될 것이다. 이 과정에서 합리적인 규제 정립과 보장 공백 최소화를 위한 보험회사의 역할이 강조될 것으로 보인다.

지금까지의 논의를 정리해 보자. 우선 모빌리티 산업의 발전에 걸맞은 보험사의 상품 개발이 시급해 보인다. 개인정보 유출, 사이버 리스크, 사물 인터넷 관련 리스크 등을 담보하는 배상책임보험 개발도 서둘러야 한다. 이 과정에서 보험사는 모빌리티 업체와의 제휴도 추진해야겠지만, 소비자를 직접적으로 보장하는 상품 개발도 병행해야 한다. 특히 공유 경제를 통해 모빌리티 서비스를 이용하는 소비자에게는 보다 다양한 특약과 보장 기간이 세분화된 상품을 제공할 필요가 있다. 이제 국내 보험회사들도 우버와 리프트 등 모빌리티 플랫폼 기업과의 다양한 제휴서비스 개발을 통해 새로운 성장 기회를 찾아야 한다. 4차 산업혁명이 새로운 상품과 서비스를 세상에 내놓는 만큼 보험회사도 그에 발맞춰 움직여야 한다. 변화는 언제나 누군가에게 새로운 기회가 되는 법이다.

5. 맹견 소유자 책임보험 출시

2021년 2월부터 맹견 소유자의 책임보험 가입이 의무화된다. 이에 관련 보험 상품이 본격적으로 시장에 나올 전망이다. 보험개발원도 맹견 책임보험의 참조순보험 요율을 산출해 9월 말

금융감독원에 신고했다. 참조순보험 요율은 각 보험사가 참조하는 위험률로 보험사가 상품을 개발하는 기초 통계다. 보험사들은 이를 기반으로 연내에 관련 상품을 출시할 것으로 보인다.

맹견배상책임보험은 자신이 소유한 맹견으로 인해 사고가 발생했을 때 타인의 생명·신체나 재산 피해를 보상하기 위한 보험이다. 맹견 소유자는 책임보험에 의무적으로 가입해야 하는데 적용 시점 최소 2개월 전에는 각 보험사에서 상품을 출시할 예정이다. 배상책임보험은 내용이나 설계가 비교적 단순한 편이라 상품 개발에는 큰 문제가 없을 것이다.

맹견 소유자는 맹견에 사람이 물려 사망하면 8,000만 원 이상을 보장하는 보험에 의무적으로 가입해야 한다. 이런 내용을 주요 골자로 농림축산식품부는 동물보호법 시행령과 시행규칙 개정안을 입법 예고했다. 개정안은 맹견 소유자의 맹견책임보험 가입을 의무화했고 구체적으로 개정 동물보호법 시행을 위한 기준을 규정하고 있다. 개정 동물보호법은 2021년 2월 12일부터 시행된다.

이에 따라 기존 맹견 소유자는 개정 동물보호법 시행일인 2021년 2월 12일까지 보험에 가입해야 한다. 다만 맹견이 생후 3개월 이하라면 3개월이 됐을 때 가입하면 된다. 이번 법 개정 취지는 맹견 사고 피해를 쉽게 보상할 수 있는 안전망 구축이다. 기존에도 반려견이 상해를 입힌 경우에 피해를 보상하는 보험이 있었으나 보장액이 500만 원 수준으로 낮았다. 더구나 맹견의 보험 가입은 거부되는 경우가 많아 보상에 한계가 있었다.

반려견이 많아지는 만큼 개 물림 사고도 끊이지 않고 있다. 이런 상황에서 맹견배상책임보험 출시 및 의무화 제도 도입은 향후 사회 안전망 강화에 기여할 전망이다. 소방청에 따르면 최근 3년간 119 구급대가 개 물림 사고로 병원에 이송한 환자 수는 약 7,000명에 이른다. 연도별로 보면 2016년 2,111명, 2017년 2,404명, 2018년 2,368명이다. 매년 2,000여 명 이상이 꾸준히 개 물림 사고를 당하고 있다.

문제는 개 물림 사고 시 견주 4명 중 1명이 치료비를 부담하지 않는 등 책임을 회피하는 모습을 보인다는 점이다. 이에 따라 맹견 소유자의 책임을 강화해야 한다는 사회적 공감대가 형성되었고 책임보험 가입을 의무화한 '동물보호법 일부개정법률안'이 국회 본회의를 통과했다.

개정안 시행으로 오는 2021년 2월부터 맹견 소유자는 반드시 책임보험에 가입해야 한다. 맹견으로 분류된 종은 도사견, 아메리칸 핏불테리어, 아메리칸 스태퍼드셔 테리어, 스태퍼드셔 불테리어, 로트와일러와 그 잡종이다. 보험 가입 의무를 위반한 사람에게는 300만 원 이하의 과태료를 부과한다. 1차 위반은 100만 원이고 2차, 3차는 각각 200만 원, 300만 원이다.

맹견 사고는 예방뿐만 아니라 신속하고 적절한 피해 보상이 무엇보다 중요하다. 더불어 살아가기 위해서는 반드시 타인을 배려할 줄 알아야 하기 때문이다. 이번 개정안은 사회적으로 반길 일이다. 반려동물 소유자의 책임과 의무를 강화해 시민의 안전을 확보하는 데 의의가 있기 때문이다. 더불어 보험회사에도 단비가 되었으면 하는 바람이다. 펫보험과 함께 맹견 소유자 책임보험이 인 보험 시장의 정체를 해소하는 물꼬를 트기 바란다면 지나친 기대일까?

IT공룡들의 보험 시장 진출, 어떤 변화가 올까?

　카카오, 네이버 그리고 토스까지 보험 시장에 상륙했다. 토스는 GA 형태로 가닥을 잡았다. 비대면뿐만 아니라 원하는 경우 대면 FP를 연결시켜 보험을 판매한다는 전략이다. 또한 수당제가 아니라 월급제 FP를 선발한다. 일부 수당제 FP들이 리모델링이라는 명목으로 기존 보험을 깨고 신규 판매에만 치중하기 때문이다. 고객보다는 자신에게 유리한 상품을 판매할 가능성이 크다고 판단한 것이다. 네이버와 카카오는 텐센트 모델을 따라 각각 종합금융회사를 세우고 플랫폼으로 접근할 것으로 보인다.

　보스턴대 교수인 벤캇 벤카트라만Venkat Venkatraman은 저서 『디지털 매트릭스』에서 2025년이면 디지털화가 지금보다 훨씬 더 강력하고 깊어질 것이라고 주장한다. 덧붙여 디지털화가 되지 않을 분야는 단 한 군데도 없을 것이라고 단언한다. 그의 메시지는 선명하다.

　　디지털에 더 깊이 들어가라. 디지털에 발만 담그지 말고 디지털
　　전략으로 들어가라.

　디지털 부서와 모바일 앱을 만드는 단편적인 일에 머물지 말고 비즈니스 모델과 조직 구조, 프로세스, 보상 체계를 모두 바꿔야 한다는 주장이다.

모든 산업에서 디지털이 일으키는 변화는 크게 3단계로 진행된다. 1단계는 경계에서의 실험이다. 예를 들어 에어비앤비가 빈집 공유를 시작하는 단계다. 2단계는 핵심에서의 충돌이다. 디지털 시대의 원칙과 산업 시대의 전통적 관행이 정면충돌하는 단계다. 예를 들어 아마존의 전자상거래가 월마트를 위협하는 단계다. 3단계는 뿌리의 재창조다. 디지털이 주류가 돼 모든 제품과 서비스가 디지털화되고 모든 회사가 사실상 디지털 기업이 되는 단계다.

이런 '디지털 매트릭스'를 토대로 보험업계의 디지털 수준을 평가해 보면 다음과 같다. 1단계에서는 스타트업이 기존 틀에 도전하는 사업들을 시도해 본다. 대다수는 실패하지만 아주 일부는 살아남는다. 2단계에서는 살아남은 스타트업을 IT공룡이 인수하여 업계에 진출한다. 의미 있는 규모는 아니더라도 기존 기업들을 긴장하게 만든다. 마지막 3단계는 디지털의 주도하에 새로운 업종이 생겨나고 기존의 업※을 완전히 대체해 버린다.

나는 현재 우리나라 보험 시장이 디지털 매트릭스의 2단계에 와 있다고 생각한다. 네이버, 카카오, 토스가 GA를 설립하거나 보험사와 합작을 통해 시장 진출을 준비하고 있다. 현재 자동 인수심사, 챗봇, AI 보험사기 조사 같은 기술이 살아남았고 보맵처럼 보장분석 서비스와 FP를 매칭하는 플랫폼이 몇몇 회사와 제휴 중이다. 이들 중 일부는 카카오 같은 IT공룡들이 인수를 추진하고 있다. 이를 바탕으로 극도의 효율성을 추구하며 맞춤형 상품 공급이 가능한 형태로 출범을 준비하고 있다.

현재 의무보험인 자동차보험을 제외하면 디지털 채널을 통한 보험 판매는 극히 미미한 실정이다. 하지만 이를 근거로 보험은 디지털에서 안전지대라고 주장한다면 매우 어리석은 일이다. 당장은 디지털 손보사 형태로 상해보험, 여행자보험, 펫보험 같은 단기상품이나 미끼상품에 집중하는 모습이다. 하지만 플랫폼을 기반으로 보장설계분석을 하고 최저가로 보험료를 제시하는 시스템이 구축되면 기존 시장의 대안으로 떠오를 수 있다. 어쩌면 지금이 IT공룡들의 보험 시장 진출에 대비할 수 있는 마지막 기회일지 모른다. 왜냐하면 3단계는 보험이 다른 산업과 융합되어 새로운 가치를 창출하는 서비스로 탈바꿈하고 기존의 산업은 큰 타격을 입는 방향으로 전개될 것이기 때문이다.

당장은 눈에 띄는 세일즈 실적이 없고 단순한 상품만 터치하고 있지만, 가랑비에 옷이 젖듯 시장을 잠식하고 표준을 바꿔나갈 것이다. 마침내는 IT공룡들 아래로 기존 기업들이 재편되는 상황이 벌어질 수도 있다. 개인적으로 그러지 않기를 바라지만 시대 흐름을 거스를 수 있을까?

2019년 말 기준 네이버와 카카오(카카오톡)의 회원 수는 각각 4,000만 명으로 추정되고 토스는 1,700만 명이다. 세 업체의 회원 수만 총 1억 명에 육박한다. 1억 명이 이용하는 플랫폼을 앞세워 IT공룡이 본격적으로 금융업에 손을 대기 시작했다.

여기에 계속 인상된 수수료와 적용 이율 인하로 높아진 보험료 때문에 소비자 불만은 팽배해졌다. 이러한 상황임에도 원수사와 GA 간의 힘겨루기 등으로 더 높은 수수료를 지급하는 악순환이 발생하고 있다. 더 이상 자정을 기대하기는 어려운 상황이다. 새로운 FP를 도입하여 지인들을 계약하는 방식만으로는 한계에 봉착할 것이다. 이렇게 누적된 약점은 새로운 방식이 들어오면 일거에 무너져 내릴 수 있다. 아직은 '니즈 환기'라는 벽을 넘지 못해서 디지털화가 더디지만, 이는 어디까지나 2단계의 상황일 뿐이다.

지금까지 많은 보험사가 디지털이 미래라고 외치며 뛰어들었지만 부끄러운 성적표를 받았다. 앞서 본 설문조사처럼 일부 보험사 CEO는 디지털보다 다른 채널의 성장성을 더 중요시하고 있다. 그렇다면 지금의 전속 FP, GA 혹은 방카슈랑스 채널이 고객에게 만족을 주고 있을까? 자신 있게 말하기 어려울 것이다. 만약 어떤 계기가 주어진다면 와르르 무너질 수 있지 않을까?

이러한 상황에서 FP들은 어떤 생존전략을 준비해야 할까?

첫째, 전문성이다. 대표적으로 VIP 시장 공략, 보상을 활용한 보험 판매, 가족력과 연관된 교육, 헬스케어 전문화 등이 될 수 있다. 또 하나는 코칭형 상담으로의 전환이다. 코칭의 본질은 답을 알려 주는 것이 아니라 고객이 답을 찾을 수 있도록 도와주는 것이다. 고객이 보험을 스스로 설계할 수 있도록 돕는 코칭형 상담 방식은 밀레니얼 세대의 특징을 이해하는 방법이다. 디지털 환경에서는 코칭형 상담 방식이 주류가 될 수도 있다.

둘째, 보유 고객 중심의 영업력 향상이다. 기존 FP들은 이미 상당한 고객을 보유하고 있다는 장점이 있다. 동시에 단점도 존재한다. 보유 고객의 20%가 전체 신계약의 80%를 점유할 만큼 기존 고객 80%의 충성도를 얻지 못하고 있다. 언제까지 새로운 고객만 찾아 나설 것인가? 잠자고 있는 80% 고객을 다시 돌아보자. 보유 고객 중심의 영업을 활성화한다면 당신의 미래는 한층 더 탄탄해질 것이다.

마지막으로 신채널과의 협업이다. 새로운 채널을 경쟁 상대로만 생각하지 않았으면 한다. 협업은 오히려 새로운 고객 창출의 기회가 될 수 있다. 여전히 한 명의 고객이 필요로 하는 보험 컨설팅 영역은 무궁무진하다. FP 또한 고객을 위해 준비해 줄 수 있는 상품이 매우 다양해졌다. 문제는 고객을 만날 수 있는 접점이 예전과는 많이 달라졌다는 것이다. FP도 이를 인정하고 동시에 자신이 활용할 수 있는 방안을 연구해야 한다. 묘수는 없다. 4차 산업혁명, 저금리, 저출산, 고령화 등 모든 환경 요인에 단기적으로 대응하기에는 한계가 있다. 경쟁력 강화도 장기적으로 준비해야 한다. 비대면 채널을 경쟁 상대가 아닌 보완 관계로 바라봐야 한다. 현명한 FP에게는 예전보다 더 많은 기회가 찾아올 것이다.

2007년 세계적인 자기계발 전문가인 스티븐 코비Stephen Covey 가 한국에 왔다. 그가 쓴 『성공하는 사람들의 7가지 습관』은 전

세계적인 베스트셀러이자 스테디셀러다.

한 기자가 그에게 이런 질문을 던졌다.
변화무쌍한 지금 같은 시대에 살아남기 위해서는 어떻게 해야
할까요?

코비 박사는 이렇게 답했다.
누구든지 나이와 상관없이 앞으로 더 많이 배워야 합니다. 시대
의 새로운 국면을 받아들일 수 있어야 하니 잘 준비하세요.

기자가 추가 질문을 던졌다.
하지만 일하느라 바빠서 무언가를 배울 수 있는 시간이 없는데
어떻게 해야 할까요?

다시 코비 박사가 답했다.
배움과 훈련을 위한 스케줄을 지금 짜 보세요. 자신의 몸을 편한
영역에서 빼내야 합니다. 스스로 끊임없이 훈련하세요. 적어도
하루에 1시간은 '톱을 갈 수 있는 시간'을 가져야 합니다.

스티븐 코비는 책에서도 '톱을 갈 수 있는 시간'을 확보하는
것이 중요하다고 거듭 강조한다. 톱을 간다는 것은 자신이 무엇
을 해야 할지 안다는 의미다. 즉, 해야 할 일을 알고 그것을 시작

하기 위해 준비하는 과정이 반드시 필요하다는 뜻이다. 한 방에 무언가를 이루고 싶은 마음이 차오르더라도 처음부터, 기본부터, 계획부터 점진적으로 시작해야 한다. 갓난아이가 바로 뛸 수는 없다. 기다가 걷다가 달리게 된다.

어쩌면 FP들이 톱을 갈 수 있는 마지막 시간이 2021년일지 모른다. 톱을 갈 수 있는 시간을 내자. 그리고 충실히 채워보자. 2021년이 당신에게 특별한 해로 기억되기를 소망한다.

3

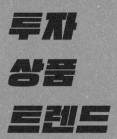

투자
상품
트렌드

2020 ————————————————

이풍헌

2021

2020년 돌아보기
: 팬데믹에서 동학개미운동까지

1. 한눈에 보는 2020년 투자 상품 성적표

주요 금융 지표 변화(2019년 말~2020년 8월 말)

※ '20년 8월 31일 기준

주요 금융 지표	'19년 말	'20년 8월 말	등락폭		등락률	
금	1,546/온스	1,967/온스	▲	421	▲	27.2%
코스닥지수	670	848	▲	178	▲	26.6%
중국(SHCOMP)	3,050	3,396	▲	346	▲	11.3%
코스피지수	2,198	2,326	▲	128	▲	5.8%
미국(DJIA)	28,538	28,654	▲	116	▲	0.4%
독일(DAX)	13,249	13,033	▼	216	▼	1.6%
일본(Nikkei 225)	23,657	23,140	▼	517	▼	2.2%
유로(Euro Stoxx 50)	3,745	3,316	▼	429	▼	11.5%
영국(FTSE 100)	7,542	5,964	▼	1,578	▼	20.9%
서부 텍사스산 원유	61.1/배럴	43.0/배럴	▼	18.1	▼	29.6%
북해산 브렌트유	66.0/배럴	45.1/배럴	▼	20.9	▼	31.7%
두바이유	65.4/배럴	43.9/배럴	▼	21.5	▼	32.9%

투자 지역별 주식형 펀드 수익률 순위

순위	투자 지역	등락률
1	아시아신흥국주식	▲ 25.4%
2	중국주식	▲ 24.0%
3	아시아태평양주식	▲ 20.2%
4	아시아태평양주식(일본 제외)	▲ 16.7%
5	북미주식	▲ 16.3%
6	동남아주식	▲ 6.3%
7	글로벌신흥국주식	▲ 3.0%
8	인도주식	▼ 3.4%
9	유럽주식	▼ 6.1%
10	일본주식	▼ 7.3%
11	베트남주식	▼ 8.5%
12	러시아주식	▼ 15.6%
13	유럽신흥국주식	▼ 21.1%
14	브라질주식	▼ 33.8%

2020년 주목받았던 펀드

주식형 펀드	'20년 중 돈이 가장 많이 몰린 펀드	AB미국그로스증권펀드
	연초 대비 수익률이 가장 높은 펀드	미래에셋G2이노베이터증권펀드
채권형 펀드	'20년 중 돈이 가장 많이 몰린 펀드	흥국중기채권형증권펀드
	연초대비 수익률이 가장 높은 펀드	삼성미국투자적격장기채권증권펀드
혼합형 펀드	'20년 중 돈이 가장 많이 몰린 펀드	KTB공모주하이일드증권펀드
	연초 대비 수익률이 가장 높은 펀드	미래에셋인사이트증권펀드

※ '20년 8월 31일 기준 / 1천억 원 이상 펀드에 한함 / 패시브 펀드 및 법인 전용 제외

2019년 12월 30일, 중국 후베이성 우한시의 보건위원회는 병원에 공문을 띄운다. 최근 번지는 유행성 폐렴과 관련해 유사 증상의 환자를 보고해 달라는 내용이었다. 2020년의 첫날 중국은 우한시의 '화난' 수산물 도매시장을 폐쇄한다. 당시만 해도 '우한 폐렴'이라 불리던 병의 근원을 수산물 시장으로 보았기 때문이다. 해외 토픽으로만 다뤄지던 그때는 그저 나라 밖 일로만 여겨졌다. 대한민국은 그로부터 20일이 지난 2020년 1월 20일, 첫 확진자를 발표하기에 이른다.

인류 역사에 남게 될 코로나 바이러스COVID-19 사태는 한국 사회에 여러 생채기를 남겼다. 지금은 잦아들었지만, 한때는 마스크를 사기 위해 꼭두새벽부터 약국에 줄을 서야 했다. 아이들이 학교를 가질 못하니 부모는 육아의 늪에 허덕이고 학생들은 자기 반 친구가 누구인지도 모른 채 새 학년이 되었다.

더 큰 문제는 경제다. 자영업이 특히 어렵다. 사회적 거리두기의 여파로 손님이 급격히 줄었다. 임대료와 이자는 가뜩이나 현금이 부족한 자영업자들을 생사의 갈림길로 몰고 있다. 소비가 줄어드니 기업 경기도 좋을 리 없다. 항공업계와 면세점이 특히 울상이다. 승객운임은 '0' 수준으로 줄어들었고 면세점은 개점휴업 상태다. 여객기들은 좌석을 떼어 내고 화물을 나르기 시작했다. 해외어행 간접 체험이라는 명목으로 비행기를 띄웠다가 바로 내리는 상품까지 생겨났다.

2. 나비효과의 시작, COVID-19와 '세계 경제 팬데믹'

코로나19는 소비와 수출에 직격탄을 날렸다. 소비와 수출은 나라 경제를 뒷받침하는 가장 중요한 요소다. 물건이 팔리질 않으니 기업은 생산을 줄일 수밖에 없다. 생산이 줄면 인력이 남아도니 구조조정이 불가피하다. 해고가 늘면 가계가 쓸 돈이 없어 다시 소비가 줄어든다. 결국 경제는 악순환이 반복된다.

내수, 즉 국내 소비가 주춤하면 수출이 잘되었던 것이 그간의 교훈이다. 하지만 경제 '대봉쇄The Great Lockdown'로 표현되는 코로나19 사태는 과거의 형태와는 달랐다. 왕래가 없으니 무역이 없어졌고 국가 간 교역이 줄어들면서 경제의 파이는 급속히 쪼그라들었다.

쉽게 예를 들어 보자. 한국은 돼지고기를 100만큼 생산하고 50만큼 수출한다. 미국은 콩을 100만큼 만들고 50을 해외로 내보낸다. 교역이 끊기면 한국은 돼지고기를 50, 미국은 콩을 50만큼만 만들어 낸다. 교역이 있을 때 세계 경제가 만들어 내는 부가가치가 200이었다면 무역을 중단했을 때는 100에 그친다. 경제 규모가 반 토막 난다는 뜻이다.

경제협력개발기구OECD가 지난 6월 내놓은 국가별 GDP 성장률 예측자료를 보면 심각성이 여실히 드러난다. 두 번의 대유행이 닥쳤다고 가정할 때 OECD 가입국 GDP는 평균 9.3% 역성장이 예측된다. 그나마 다행은 한국의 GDP 역성장 규모가 OECD 가입국 중 가장 낮은 수준이라는 점이다. -2.5%에 불과하다.

　코로나19 대확산 이전에도 미국을 제외한 글로벌 경기는 그리 좋지 않았다. 유럽연합은 경기 부양을 위해 이미 마이너스 금리에 돌입해 있었고 한국 등 아시아 증시도 지루한 박스권을 이어 가던 중이었다. 세계 각국이 경기 부양을 위해 돈을 시중에 무자비하게 풀었지만 경기 회복은 요원했다. 미국만이 그간의 양적완화 부작용을 잡기 위해 금리를 단계적으로 올리던 시기였다.

　코로나19 사태가 점차 확산되며 각국의 불안감 역시 커졌다. 미국은 그나마 금리를 올리고 있던 터라 기준금리 인하 카드를 쓸 수 있었다. 하지만 이미 더 이상 내릴 수 없는 수준까지 금리가 낮아진 유럽은 돈을 더 푸는 것 외에 대응할 방도가 없었다.

　그럼에도 불구하고 돌이켜 보면 발병 초기의 경제 흐름은 전조 증상에 불과했다. 2020년 2월까지 세계 주요 증시는 변동성이 커지긴 했으나 나름대로 견조한 흐름을 유지했다. 일례로 미국의 대형기업 주가 추이를 반영하는 S&P 500지수는 역사상 최고점을 경신 중이었다. 그러던 중 '패닉 셀', 즉 너도나도 앞다투어 투자 상품을 내다 파는 현상이 3월 들어 본격화되었다.

　검은 월요일로 기록된 3월 9일은 전 세계 금융인들을 우울하게 했다. 코스피는 4.19% 하락하며 2,000선을 내줬고 니케이 225지수도 하루 새 무려 1,050.99포인트(5.07%) 하락하며 20,000포인트 선이 무너졌다. 홍콩, 중국상해지수도 마찬가지다. 아시아에서 시작된 충격은 동이 트는 순서대로 서방에 전파되어 나갔다.

　이탈리아 증시는 장 초반 10% 가까이 추락했고 유럽, 프랑스, 독일 등 주요국 지수도 6% 넘는 하락을 기록했다. 나스닥은 개장 초반부터 사이드카가 발동했고 주가 하락은 계속 이어졌다. 미국 다우존스지수는 3월 23일까지 하락을 이어 가며 2만 포인트 선을 한참 하회한 18,591.93포인트까지 내려갔다. 코스피 역시 1,500포인트를 깨고 내려가 1,457.64포인트를 기록했다.

　세계지수 급락의 방아쇠를 당긴 것은 다름 아닌 유가였다. 9일 새벽 런던 선물거래소에서 브렌트산 원유 선물 가격은 31.5% 폭락했다. 서부 텍사스산 원유 역시 27% 폭락했다. 원유 가격은 경제학 교과서에서 얘기하는 수요와 공급의 원칙을 매우 충실히 따른다. 공급이 많으면 값이 싸지고 수요가 커지면 가격이 오른다.

　3월 9일의 폭락은 공급이 문제였다. 석유를 생산하는 국가들의 모임인 석유수출국기구OPEC는 모종의 담합을 한다. 수요 감소가 예상되면 공급을 줄여 가격을 유지하고 반대의 경우엔 공급을 늘린다. 그런데 이날 사우디아라비아와 러시아가 한판 붙은 것이 뇌관이 되었다. 3월 6일 'OPEC + 러시아' 간에 있었던 감산 합의에 러시아가 반대표를 던지며 협상이 결렬되었다. 그러자 이에 대한 보복으로 세계 최대 산유국인 사우디아라비아가 원유 생산량을 늘리겠다는 발표를 해 버렸다. 코로나19로 경색된 경제 상황에서 석유 수요 감소는 자명한 바, 공급의 폭증은 자연히 원유 가격 폭락으로 이어질 수밖에 없었다.

휘발유, 경유, 등유는 물론 아스팔트, 나프타 등 각종 화학물질과 심지어는 의약품조차도 원유 부산물에서 얻어지니 유가 폭락은 호재로 보이기도 한다. 하지만 원유 등 원재료 가격의 급격한 하락은 디플레이션으로 이어질 가능성이 높다.

원재료 값이 떨어지면 기업이 만들어 내는 제품 가격도 전반적으로 하락할 수밖에 없다. 가격이 내려가면 상품 하나를 팔 때 생기는 부가가치의 규모도 줄어든다. 부가가치가 줄어들면 기업은 생산을 줄이고 투자를 꺼린다. 고용이 나빠져 어려워진 가계는 소비를 줄이고 투자까지 줄어들면 경제 전체의 파이가 급격히 축소된다.

금융 시장에 다양한 형태로 파생되어 있는 원자재인 원유 가격의 하락은 예상치 못한 위기를 만들어 내기도 한다. 예를 들어 대체재인 셰일 오일 생산업체의 줄도산을 야기할 수도 있다. 전혀 과장된 시나리오가 아니다. 원유 가격 하락이 경제 전체에 미치는 효과는 생각보다 광범위하다. 평소 예상하지 못했을 뿐 원유 가격의 급격한 하락은 심각한 위험 요인이다. 이러한 우려들이 겹치면서 유가 폭락은 코로나로 가뜩이나 얼어붙어 가고 있던 세계 증시를 더욱 급속히 냉동시킨 촉매제가 되어 버린 셈이다.

유가는 한때 마이너스를 기록하는 초유의 사태까지 가기도

했다. 비정상적인 폭락이 생기면 '사 볼까' 하는 마음이 생기기 마련이다. 하지만 원유를 직접 사서 내 집 창고에 저장하거나 바다에 기름배를 띄워 둘 수 있는 사람은 별로 없다. 불행인지 다행인지 투자 상품 중에는 아주 좋은 대안이 있다. ETN과 ETF라는 상품이다.

3. 사상 초유의 마이너스 유가, 그리고 ETN·ETF

'마이너스 유가!'

과거 수년간 유가는 배럴당 50달러 수준을 지켜 왔다. 경기 변동에 따라 등락은 꽤 심했지만, 2020년의 폭락은 누가 봐도 상식 범위를 넘어섰다. 연초에만 해도 60달러를 넘어설 정도였던 원유를 돈을 '받고' 살 수 있게 된 기현상은 투자자의 가슴을 설레게 하기에 충분했다. ETN과 ETF에 돈이 쏠렸다. 두 상품은 원유 등 기초자산을 직접 사지 않더라도 가격이 오르거나 내렸을 때 수익을 낼 수 있는 파생상품이다.

알파벳 세 글자 중 하나만 다른 두 상품은 기본적으로 구조가 비슷하다. 큰돈이 없으면 직접 투자하기 어려운 주가지수나 원자재 같은 상품에 적은 돈으로도 투자할 수 있도록 만든 것이다. KOSPI 200, S&P 500지수의 등락률을 복제하는 ETF, 원유 가격의 변화에 맞춰 변동하는 ETN이 대표적인 상품이다. 가장 큰 차이점은 상품을 만든 회사다. ETN Exchange Traded Note 은 증권사

가 만든 상품이고 ETF_{Exchange Traded Fund}는 자산운용사가 만들었
다. 두 상품 모두 증권 시장에서 거래된다.

ETN은 쉽게 말해 증권사가 하는 '약속'을 사는 상품이다.
서부 텍사스산 원유_{WTI}의 가격을 좇기 위해 만든 ETN을 예로
들어 보자. 1월 1일 100원이었던 WTI가 1월 31일 150원이 되
었다 치자. 한 달 새 가격이 50% 상승했다. WTI의 등락률을 추
종하는 ETN이 있다면 이 상품의 2월 1일의 가격은 1월 1일보
다 50% 상승해 있어야만 한다. ETN을 만든 증권사는 약속을 지
키기 위해 LP_{Liquidity Provider}를 동원한다. LP는 주식 시장에서 ETN
의 호가(매수 주문, 매도 주문)를 직접 조절해 WTI와 최대한 비슷
하도록 만든다. LP는 '사자' 주문이 있으면 물량을 공급하고 '팔
자' 주문이 있으면 사들이는 식으로 가격을 맞춘다.

ETF도 대체로 비슷하다. 다만 ETN이 증권사의 약속을 전
제로 한 채권형 상품이라면 ETF는 투자자의 돈이 WTI 같은 기
초자산의 가격과 최대한 비슷하게 움직이도록 선물, 옵션 등에
간접 투자한다는 점이 다르다. 복잡해 보이지만 2020년 같은 유
가 폭락사태가 일어나지 않는 한 두 상품에 투자해 얻는 수익률
은 보통 비슷하다.

하지만 올해 같은 폭락사태가 일어나면 이야기가 달라진다.
WTI 등 기초자산의 가격을 충실히 반영하지 못하는 일이 생긴
다. ETN은 주식 거래 제도 때문이고 ETF는 운용방식 때문이다.
유가가 하루 새 30% 폭락했다면 ETN도 30% 내려가야 맞다.

그런데 가격을 맞추는 LP들에게 '총알'이 떨어지면 약속을 지킬 수가 없다. 유가 폭락에 이어 '사자' 주문이 몰려들면 그에 대응하기 위해 LP는 ETN을 공급해 줘야 하는데, 워낙 물량이 순식간에 몰리다 보니 팔 물건이 말라 버린다. 사려는 사람은 많은데 파는 사람이 없으면 값어치가 오른다. 즉, 유가는 30% 빠졌는데 워낙 수요가 몰리다 보니 ETN 가격은 그보다 덜 떨어진다. 다행히 증권사에서 물량을 주식 시장에 더 푸는 방법으로 공급 부족 현상을 해소한 덕에 이 사태는 그리 길게 이어지진 않았다.

ETF도 마찬가지였는데 운용방식 때문에 또 다른 문제가 생겼다. ETF 역시 LP를 활용하지만 주식 시장에서 맞추고자 하는 가격의 산정 방식이 ETN과 다르다. ETF는 펀드에 모인 자금을 WTI 등 기초자산의 가격과 가장 비슷하게 만들기 위해 선물, 옵션 등을 매수한다. 이때 투자의 성과가 ETF의 '이론적인 가격', 즉 LP가 주식 거래시장에서 맞추고자 하는 가격이 된다. 이 때문에 투자자는 유가의 저점을 노리고 ETF를 샀고 유가가 실제 반등했지만 수익은 따라가지 못했다. 아주 단기간에 불과했지만 운용성과가 상승분을 따라가지 못하는 현상이 생겨서 세간의 뭇매를 맞았다.

주가와 유가는 최근 다소 변동이 심한 모습을 보이고 있지만, 3월의 충격을 대부분 회복했다. 1,500포인트를 깨고 내려갔던 코스피지수는 어느새 2,500포인트 고지를 노리고 있다. 미국의 S&P 500지수도 10월 초 저점 대비 1,200포인트 가까이 올라

그간의 하락폭을 만회하고 있다.

결국 코로나19와 유가 급락에 따른 디플레이션 우려 등에도 불구하고 투자 시장에 돈이 몰렸다는 의미다. 개인 역시 마찬가지였다. 소위 '개미'들이 큰손이 되어 주식 시장에 어마어마한 자금을 쏟아 넣은 이번의 기록적인 사태를 우리는 '동학개미운동'이라 부른다.

4. 팬데믹이 만든 신드롬, 동학개미운동

2020년 4월 2일, 금융위원회가 주재한 금융상황 점검회의에서 이례적인 감사 인사가 나왔다. 당시 금융위 부위원장은 회의석상에서 이런 말을 했다. "우리 기업에 대한 애정과 주식 시장에 대한 믿음을 가지고 적극 참여해 주신 투자자 여러분께 감사의 말씀을 드린다."

주식 가격은 세 큰손 간에 이루어지는 줄다리기를 통해 결정된다. 외국인, 기관, 그리고 개미로 일컬어지는 개인이다. 팔려는 쪽과 사려는 세력의 힘 사이에 균형이 생기면 주가는 횡보한다. 오르지도 내리지도 않는 박스권 장세가 이어진다. 사는 쪽이 힘을 쏟으면 오르고 매물이 많아지면 떨어진다. 수요와 공급의 법칙이 철저하고 빠르게 적용되는 곳이 주식 시장이다.

'개미'라는 말에는 일견 부정적인 뉘앙스도 있다. 개인 투자자들은 내가 팔면 오르고 내가 사면 떨어진다는 자조적인 표현을 흔히 쓴다. 외국인과 기관이 쏟아 낸 물량을 개미가 받을 때면 주가가 더 떨어져 개인 투자자를 울리는 일이 잦았기 때문이다. 반대로 하락에 지쳐 개인이 팔기 시작하면 기관과 외국인이 싼값에 주식을 매입해 수익을 올리곤 했다. 코로나 사태와 유가 하락이 겹치며 시작된 하락장에서도 역시 개미들은 떨어지는 칼날을 잡았다. 그것도 아주 많은 사람들이 앞다투어 주식 시장으로 들어왔다. 시쳇말로 '영혼까지 끌어모아' 증권계좌에 돈을 몰아넣기 시작했다.

2019년 월말 기준 투자자 예탁금은 월평균 25조 원에 불과했다. 투자자 예탁금이란 주식 등을 거래하기 위해 증권계좌에 넣어 둔 돈을 의미한다. 즉, 투자할 수 있는 '실탄'이다. 예탁금이 많아진다는 말은 주식을 거래하기 위해 사람들이 돈을 모으고 있다는 뜻이다.

증권가에서는 투자자 예탁금을 향후 주가 예측을 위한 보조지표로 활용한다. 돈이 많아지는 상황은 주가 상승을 기대하는 투자자들이 늘어나고 있다는 뜻이다. 따라서 주가 상승이 예상된다는 논리다. 예탁금 규모는 2월 말 들어 30조를 넘겼고 3월 말에는 40조를 넘겨 버렸다. 상승세는 여전하다. 8월 말 현재 예탁금 규모는 무려 61조다. 이는 작년 월말 평균 대비 2.5배에 육박하는 수준이다.

통계에 따르면 최근 증권 시장에 사회 초년생 등 젊은 세대의 유입이 두드러지게 나타난다. 동학개미운동 역시 이 영향이 작지 않아 보인다. 어찌 보면 당연한 결과다. 사회에 팽배한 부동산 불패 신화, 그에 따른 집값 급등, 덩달아 치솟는 월세 등을 보면 사회에 첫발을 내딛는 이들에게는 별 기회가 없어 보인다. 취업은 어렵고 다섯 평 남짓한 회사 근처 원룸 월세는 월급의 절반을 좀먹고 있다. 이런 상황에서 사회 초년생들이 무엇을 희망할 수 있을까? 자연스레 P2P 대출 상품이나 주식, 비트코인처럼 위험성이 짙은 투자 상품에 눈을 돌릴 수밖에 없다.

재산증식이 요원한 이들에게 3월 폭락장은 놓치면 안 될, 다시 오지 않을 기회로 보였다. 다행히 아직은 증시가 이들의 꿈을 꺾지 않았다. 코스피는 2020년 3월 23일 1,482.46포인트를 찍은 이후 상승세를 이어 가며 8월 13일 장중 2,458포인트까지 올랐다. 3월 19일 종가 기준 428.35포인트로 바닥을 찍은 코스닥은 10월 8일 현재 871.62포인트로 무려 두 배 넘게 상승한 상태다.

투자 시장은 늘 냉혹했다. 오름세가 짙으면 거대한 눌림목이 있었다. 하락장에서는 버티기 신공을 발휘하다 지쳐 떨어진 이들을 조롱하듯 개미들이 주식을 바닥에서 던질 때마다 주가가 튀어 오르곤 했다. 투자 시장은 개인 투자자에게 관대하지 않았다. 하지만 나름의 투자 철학을 가지고 주식 필승론을 찾기 위해 열심히 공부하는 젊은 친구들을 볼 때면 괜스레 응원하고 싶어진다. 이들의 희망을 조금 더 탄탄한 노후 준비로 탈바꿈해 주기 위해서라도 금융 영업인들은 투자 상품을 알아 가려는 노력에 소홀해서는 안 된다.

그동안 한국 투자자들은 국내 시장 선호도가 강한 편이었다. 하지만 올해는 달랐다. 더 이상 '초보주식 = 삼성전자'가 아니었다. 테슬라의 뉴스를 챙겨 보는 투자자가 많아졌다. 2020년 한 해는 해외주식의 전성시대였다.

5. 해외주식 전성시대, 서학개미의 등장

2020년은 해외주식, 그중에서도 미국주식이 각광받은 한 해였다. 한국예탁결제원 증권정보포털Seibro에 따르면 2020년 8월까지 거래된 해외주식 규모는 1,086억 달러. 8월 31일 종가 환율인 1,187$/₩을 기준으로 자그마치 129조 원에 달한다.

그중에서 미국주식이 950억 달러, 우리 돈 113조 원으로 약 87%를 차지한다. 2019년 미국주식 거래 금액은 309억 달러에 불과했는데 3분기 만에 작년보다 3배 가까이 늘어났다. 해외주식에 돈이 몰렸다고 보기보다는 미국주식이 관심을 받았다는 분석이 더 적절하다.

특히 테슬라를 향한 관심이 지대했다. 미국주식 중 매수 금액 1위 종목인 테슬라에 몰린 돈은 8월 31일까지 총 53억 달러로 2위인 애플의 31억 달러 대비 1.7배에 달하는 규모다. 매수 및 매도 금액 합계를 기준으로 보면 미국주식 거래 금액 중 16%가 테슬라 한 종목에 몰렸다. 그럴 만했다. 2019년 종가 84달러

해외주식 국가별 투자 규모

단위: 백만 USD

국가	매수 금액	매도 금액	소계
미국	52,323	42,634	94,957
홍콩	4,349	3,486	7,835
중국	1,669	832	2,501
일본	1,197	974	2,171
유로	171	212	383
기타 국가	359	417	776
합계	60,068	48,555	108,623

였던 테슬라의 주가는 2020년 8월 31일 현재 498달러이다. 무려 6배나 상승했다!

　'갓God슬라', '킹King슬라' 등 신조어를 만들어 내며 장중 최고 500달러를 넘었던 테슬라는 안타깝게도 9월 들어 하락 전환되어 한때 종가 기준 330달러까지 떨어지기도 했다. 일부 분석에 따르면 테슬라가 20% 넘게 폭락한 9월 8일에 테슬라 투자자들이 입은 손실이 자그마치 9,700억 원에 달한다고 한다. 그럼에도 불구하고 추세는 꺾이지 않고 있다. 한국예탁결제원에 따르면 국내 투자자가 보유하고 있는 테슬라 주식은 4조 원어치를 훌쩍 넘어서고 있다.

　해외주식에 눈을 돌리는 개인 투자자를 동학개미에 빗대어 '서학개미'라고 부를 정도로 올 한 해는 해외투자가 각광받았다. 일부 증권사가 내놓은 통계자료에 따르면 해외주식 투자자 중 상당수가 2~30대 청년이라고 한다. 증권사들의 고객 유치 경쟁도 후끈했다. 신규 고객을 대상으로 한 주식 거래 수수료 무료 정책도 줄지어 나왔고 다른 증권사에 있는 주식을 옮겨 오면 수백만 원어치 경품을 주는 이벤트도 많았다. 대형 증권사들은 '소수점 투자'라는 서비스도 내놓았다. 수백만 원짜리 주식을 사기 어려워하는 개미 투자자들을 위해 '0.001주'도 살 수 있게 만들었다.

왜 해외주식에 돈이 몰릴까? 가장 큰 이유는 한국에 마땅히 투자할 만한 기업이 보이지 않기 때문이다. 수년째 박스권을 이어 가는 국내 주식을 홀로 이끌어 가고 있는 종목은 삼성전자다. 2020년 7월 말 기준으로 삼성전자의 시가총액은 유가증권 시장 KOSPI 전체의 25% 수준이다. 주가가 높다는 말은 이미 많은 돈이 몰려 있다는 의미다.

결국 삼성전자 외에는 돈을 투자할 만큼 매력적인 기업이 많이 보이지 않는다는 것이다. 2019년 하반기부터 지금까지 KOSPI 상장기업의 이익이 죄다 내리막길로 치닫는 동안 그나마 버팀목 역할을 해 주었던 회사가 삼성전자 같은 IT, 특히 반도체 기업이다.

주가는 기업의 미래 이익을 반영한다고 한다. 이익이나 미래 성장성이 변변찮은 국내 기업보다 빠르게 혁신을 이어 가고 있는 해외 IT기업에 투자자의 눈이 쏠리는 현상은 당연한 일이다. 다만 산이 깊으면 골짜기도 깊은 법이다. 더군다나 미국의 주식 거래소는 상하한가 제도가 없다. 이론적으로는 하루에 100%까지도 빠질 수 있다는 이야기다.

혹시 최근 미국주식을 무조건 사야겠다는 확신이 드는가? 지금 매수 버튼으로 향하는 그 손을 당장 내리자. 확신이 생기는 순간이 바로 버블일 수 있다. 현명한 투자자는 마음이 편하다. 충분히 알아보고 사도 절대 늦지 않다. 더군다나 각광을 받았던 IT기업들은 혁신 속도가 빠른 만큼 변동도 심하다. 광풍이 일수록 자제가 필요한 법이다.

서학개미들과 동학개미운동에 참여한 개미 투자자들은 아직은 나름 쏠쏠한 수익을 보고 있다. 반면 올해 투자 상품 시장은 거액 자산가에게 그다지 호의적이지 않았다. 2020년 2월 전국 은행과 증권 영업점들, 그리고 자산가들을 고난에 빠트렸던 라임사태발 사모펀드 대란이 대표적 예다.

6. 꼬리에 꼬리를 물고 – 기로에 선 사모펀드 시장

2019년 7월 국내 최대 규모 전문투자형 사모펀드 운용사인 라임자산운용의 편법 거래 의혹이 불거졌다. 라임이 전환사채CB: Convertible Bond를 편법 거래해 수익률을 부풀렸다는 의심이다. 당시만 해도 증권가에서는 '으레 하던 것', '감독당국에 밉보여서 꼬투리 잡힌 것' 정도로만 치부되었다. 일반인들이 투자할 수 있는 공모펀드의 인기는 갈수록 식어 가고, 아무나 투자할 수 없는 사모펀드를 향한 동경이 날로 치솟던 시기였기에 더 그랬다.

누구나 쉽게 투자할 수 있는 공모펀드와는 달리 사모펀드는 돈 좀 굴릴 줄 안다는 사람의 전유물이다. 즉, 돈이 많고 투자에 일가견이 있는 사람들을 위해 만들어진 상품이다. 온전히 자신의 책임하에 투자할 사람만 참여할 수 있는 소위 프로의 세계다. 구색은 그렇지만 결국은 거액 자산가들만 살 수 있는 제한적인 펀드다.

사모펀드에 투자하려면 '전문 투자자' 지위를 얻어야 한다. 2019년 8월 '자본시장과 금융투자업에 관한 법률' 개정 전 기준에 따르면 전년도 소득이 1억이 넘거나 총자산이 10억 이상이어야 한다. 주식이나 펀드 등 투자 상품에 넣어 둔 돈이 5억 이상이고 거래를 시작한 지 1년이 넘어야 한다는 규정도 있었다. 이 모든 사항을 증명할 수 있는 문서를 금융위원회에 제출해야 전문 투자자가 될 수 있었다. 진입장벽이 그야말로 어마어마했다.

공모펀드를 바라보는 금융당국의 시선은 어머니 마음과 같다. 아무것도 모르는 어린아이가 강가에서 뛰노는 모습을 볼 때 기특하면서도 불안한 마음이 들듯 금융 서민들이 펀드 투자로 다치진 않을지 시시때때로 감시하고 관리한다.

금융 영업인들이 펀드 하나 파는 데 골머리가 썩는 이유가 이 때문이다. 투자 성향 설문조사, 성향에 맞는 펀드 추천, 투자 성향보다 공격적인 펀드를 권유하기 위해 징구해야 하는 각종

부적합 확인서 등 계약에 필요한 서류가 적지 않다. 감독규정에 맞춰 월 납입액 10만 원 적립식 펀드를 팔려면 장장 30분이 넘는 시간이 필요하다. 정작 고객은 내 앞에 와서 본인의 투자 성향이 무엇인지도 모른 채 다짜고짜 "○○펀드 어때요?"라고 묻는데 말이다.

그뿐만이 아니다. 펀드를 운용하는 매니저의 손발을 꽁꽁 묶어 우리네 금융 서민들을 지켜 주기 위해 혼신의 힘을 다한다. 펀드매니저는 한 종목에 일정 비율을 넘어 투자할 수 없고, 매 분기 보고서를 만들어 공시해야 한다. 이렇듯 복잡한 규제에 맞춰 펀드를 운용하다 보면 아무래도 드라마틱한 수익을 내기란 상대적으로 어려울 수밖에 없다.

사모펀드는 프로의 세계이기 때문에 감독당국이 서슬 퍼런 칼날을 잠시 감춰 둔다. 전문가라고 선언한 이상 투자자는 어머니 품 안에서 보호받을 수 없다. 다 큰 성인에게는 책임의 크기만큼 자유가 주어지는 법이다.

사모펀드는 한 종목에 집중 투자할 수 있고 돈을 빌려 투자하는 '레버리지'의 사용도 자유롭다. 공시 의무도 없고 투자할 수 있는 대상에도 큰 제한이 없다. 공모펀드는 투자가 불가능한 '등급이 없는 채권'도 매입할 수 있다. 탄탄하지만 현금이 없는 기업을 인수하는 등 모험적인 투자도 가능하다.

규제가 덜하다 보니 투자자가 직면하는 위험도도 높아지지만, 그만큼 기대 수익률도 크다. 어떻게 보면 역설적이다. 투자자를 보호하기 위해 복잡한 규제를 둔 공모펀드는 수익률이 미미할 수밖에 없으니 말이다.

2015년 전문투자형 사모펀드 운용사로 첫발을 내디딘 라임자산운용은 이러한 환경의 혜택을 가장 크게 받은 회사 중 하나였다. 하지만 전환사채 편법 거래 의혹으로 금융감독원의 조사가 시작되면서 일이 커지기 시작했다. 현금 유동성이 경색되어 가던 10월, 라임은 일부 펀드의 환매중단 사태에 이른다. 즉, 투자자가 돈을 돌려 달라고 요청하더라도 줄 수 없게 되었다. 일종의 모라토리엄 선언이다.

라임사태는 걷잡을 수 없이 커져 갔다. 엎친 데 덮친 격으로 라임이 투자한 무역 금융에서 대규모 손실까지 발생했다. 회사의 주요 요인들은 검찰조사를 받거나 구속되었다. 그리고 금융감독원은 이례적인 결정을 내린다. 무역 금융의 부실을 알면서도 판매한 은행, 증권사가 고객에게 손실액 전부를 배상하라고 결정했다.

2019년 중순만 해도 전문 투자자 요건을 일부 완화하는 등 사모펀드 투자 기회를 대중에게 넓히고자 했던 보폭이 일순간에 축소되었다. 대신 감독규정이 강화되기 시작했다. 투자자들은 발길을 끊었고 은행이나 증권사 영업점도 더 이상 사모펀드를 적극 권하지 않는다. 2020년 9월에는 옵티머스 펀드의 사기 의혹까지 불거지며 사모펀드 대란의 정점을 찍었다.

영업점 PB의 전언에 따르면 사모펀드에 대한 투자자의 경계심이 한층 올라가고 판매할 수 있는 사모펀드가 새로 나타나지 않는 등 시장이 다소 위축되었다. 그럼에도 불구하고 2020년 7월 말 기준 사모펀드의 판매 잔고는 420조 원으로 200조 원 수준에서 공전 중인 공모펀드를 2배 가까운 격차로 압도하고 있다. 여전히 거액 자산가 등 전문 투자자들이 마땅한 대체재를 찾지 못하고 있는 듯하다. 금융감독당국은 사모펀드의 규제 수준을 높이겠다는 발표를 내놓았다. 향후 한국형 헤지 펀드는 어떻게 변화해 갈지 지켜보아야 할 때다.

2부

2021년 미리 보기
: 포스트 코로나, 무엇을 준비할까?

1. '빚투'의 시대, 그 끝은 어디인가?

사회 초년생들이 코너에 몰리고 있다. 우선 일자리가 없다. 사기업 채용이 줄어들었기 때문이다. 기업들은 공채를 없애고 수시채용으로 전환하고 있다. 2020년 하반기 공채를 진행하는 주요 그룹은 삼성, CJ 정도다. 졸업을 앞둔 취업 준비생들이 갈 곳을 잃었다. 틀에 박힌 자기소개서를 수십 장 찍어 내던 수년 전 취업 시장의 풍경을 더 이상 보기 어렵다.

주거도 문제다. 사람이 사람답게 살기 위한 기본 요소인 의식주 중 가장 중요한 집 문제가 해결이 되지 않고 있다. 십수 년 전만 해도 연예인이나 살 법했던 100만 원대 월세는 이제 기본으로 자리 잡았다. 서울에 집이 있다는 사실 자체가 스펙이다. 지방 출신의 서울 새내기는 우울하다. 방음도 되지 않는 네댓 평짜리 오피스텔이라도 잡으려면 월급의 반을 집세에 쏟아부어야 하기 때문이다.

'이생망(이번 생은 망했다)' 풍조에 젖은 이들에게 연 5% 수준의 안정적 투자 같은 콘셉트는 고루해 보인다. 월급 200만 원 중 절반을 집에 들이부어야 하고 관리비 10만 원, 휴대폰 요금 10만 원, 교통비 10만 원, 식비 30만 원 등을 제하고 나면 친구들과 간단히 소주 한잔 마시는 것 자체가 사치다.

"노후 대비용 연금을 들어라", "보장성보험을 들어라" 같은 조언은 수중에 고작 몇십만 원 남은 그들의 귀에 들리지 않는다. 투자란 지금의 나를 불행하게 하는 대신 미래의 자신을 행복하게 하기 위한 행동이다. 안타깝게도 사회 초년생은 지금보다 더 불행해져서는 삶이 이어질 수 없는 수준이다.

'빚투'는 이런 시대 상황을 반영한 결과다. 젊은 세대가 일확천금의 태세로 빠져드는 현상을 무조건 비판할 수 있을까? 그들 탓만이 아니다. 이대로 살면 노후에 건질 수 있는 것은 국민연금이 전부다. 자연스러운 귀결이다. 모을 수 있는 돈은 적고 집값은 폭등한다. 이런 상황에서 어떤 대책이 있을까?

노후의 나를 행복하게 할 수 있는 수단은 공격적인 투자로 순식간에 자산을 불리는 방법밖에는 없다. 높은 금리를 제공하는 P2P 대출 상품, 해외 IT기업 주식이나 바이오 및 제약주에 돈이 쏠리는 현상은 2021년에도 이어질 수밖에 없을 것이다.

대출을 당겨 시작하는 투자는 동전의 양면과 같다. 적은 돈으로 큰 수익을 만들어 낼 수도 있지만, 수중에 있는 돈을 순식간에 날릴 수도 있다. 가장 쉽게 레버리지 투자를 경험할 수 있는 증권사 신용대출을 보자.

종목에 따라 다르지만 증권사 주식계좌에 3백만 원이 있으면 1천만 원에 가까운 주식을 살 수 있다. 증권사가 7백만 원가량을 빌려주기 때문이다. 예를 들어 주가가 30% 상승했다 치자. 1천만 원어치 주식이 30% 올랐으니 수익금은 3백만 원이다. 주식을 팔고(+1천 3백만 원) 빚을 갚으면(-7백만 원) 3백만 원을 버는 셈이다. 남들이 30%를 벌 때 나는 100%를 벌었으니 누구든 좋은 종목을 발견했다면 대출의 유혹에 빠질 수 있다.

반대의 경우는 매우 냉혹하다. 대출을 받아 산 주식 가격이 30% 떨어지면 내 계좌에 들어 있는 주식의 가치는 7백만 원이 된다. 증권사가 이틀 정도는 기다려 준다. 그때까지 추가로 돈을 채워 넣지 않으면 이틀 후 개장과 동시에 자동으로 반대 매매가 나간다. 그럼 내 돈 3백만 원은? 단 한 푼도 남기지 못한다. 3백만 원이 없어지기만 하면 그나마 다행이다. 증권사가 기다리는 이틀 동안 주가가 더 떨어지거나 갚지 못한 이자가 있을 땐 채권 추심이 들어온다. 신용도가 급락한다. 이쯤 되면 카드론이나 상호저축은행에도 손을 벌리게 된다. 이런 상황을 거듭하다 보면 재기 불능 상태까지 치닫는다.

투자는 나쁜 것이 아니다. 방법이 문제다. 재무설계 고수들은 투자를 시작하기 전 종잣돈을 마련해야 한다고 입을 모은다. 1천만 원, 3천만 원 정도의 '시드 머니Seed Money'를 만들기 전까지는 소비를 줄이는 데만 집중하라고 조언한다. '모을 돈이 없는데 어쩌라는 말이냐' 하고 생각할 수도 있다. 어렵겠지만 "정말 그게 최선입니까?"라고 이야기해 줘야 한다.

회사와 거리가 멀더라도 월세를 조금 더 줄일 수 있는 방법을 찾고 늦잠을 자느라 택시로 출퇴근하는 횟수만 줄이더라도 월 30만 원 정도는 저축할 수 있지 않을까? 월 30만 원이 시시해 보인다고? 그러지 말자. 3년이면 1천만 원이 되는 돈이다. 우습게 볼 금액이 아니다. 시쳇말로 다소 '꼰대'스럽지만 부모님을 제외하면 그들에게 쓴소리를 해 줄 수 있는 사람은 대한민국 국민의 노후 행복 FP인 당신뿐이다.

종잣돈이 커질수록 신중해지는 법이다. 합리적인 투자 판단이 가능해진다는 말이다. 그때까지 '빚투'를 최대한 말려야 한다. 또한 앞으로 경제생활을 잘해 나갈 수 있도록 최소한의 방어막을 갖춰 주어야 한다. 병원에는 마음 놓고 갈 수 있게끔 기본적인 의료실비보험 정도는 수당이 적더라도 설계해 주자. 실적과 상관없더라도 연금저축펀드, 청년우대형 세제혜택상품, 청약통장, 새마을금고나 신협의 조합원 저축도 알려 주자.

자비로운 마음으로 그들을 보듬어 주자. 당신이 아니면 벼랑 끝에 몰린 그들을 지켜 줄 수 있는 보호막은 별로 없어 보인다.

2. '따상'의 유혹, 2021년 공모주 시장은?

증권가 영업점 직원들 사이에 오가는 단어 중 '공모주 아주

머니'라는 고유명사가 있다. 공모주 청약이 있을 때마다 영업점을 순회하는 이를 일컫는 말이다. 단어 뉘앙스로만 보면 상당히 공격적인 투자를 하는 고객으로 보이지만 실상은 반대다. 안정적으로 수익을 낼 수 있는 자산이 무엇인지를 매일 수고로이 찾아다니는 사람이다. 또 대부분 거액 자산가인 경우가 많다. 투자 금액이 적게는 수천만 원에서 많게는 수십억 원에 이른다. 도대체 공모주 청약이 무엇이기에 생활에 여유가 있는 자산가가 여의도 증권가를 서성거리도록 만들까?

　　주식 시장에서 '공모'란 어떤 기업(주식회사)이 불특정 다수에게서 자금을 모으는 행위를 말한다. 그중에서도 처음 유가증권 시장KOSPI이나 코스닥에 상장할 때 시중의 관심이 뜨겁다. 정확하게는 기업 공개IPO: Initial Public Offering라는 표현이 맞지만, 흔히 '공모 청약'이라고 부른다.

　　주식회사는 기업 공개로 상당히 큰 규모의 자금을 모집할 수 있다. 그만큼 기업 가치도 시장에서 객관적으로 평가받는다는 의미가 있다. 한마디로 기업에게는 자신을 레벨 업시킬 수 있는 기회다. 투자자 역시 공모주를 받고자 하는 열망이 높다. 특히 시장의 관심을 많이 받는 대형 기업은 상장 첫날 주가가 공모 가격보다 크게 오르는 경우가 많았기 때문이다.

　　2020년 한 해 공모 시장을 떠들썩하게 한 종목은 SK바이오팜, 카카오게임즈, 빅히트엔터테인먼트였다. SK바이오팜에 줄을 선 청약 자금은 31조 원으로 제일모직이 세웠던 최대 청약액을 넘어섰다. 카카오게임즈에는 60조 원이 몰려 시장의 관심을 실감케 했다. 상장 이후 SK바이오팜의 주가 흐름을 보면 이런 현상이 이해가 된다. 한 주당 4만 9천 원에 발행된 주식은 상장 첫날 12만 7천 원, 이튿날 16만 5천 원, 사흗날 21만 4천 5백 원을 기록했다. 이때 청약에 성공한 고객은 주당 165,500원, 즉 238% 수익을 얻은 셈이다. '따상'이라는 단어가 유행되기 시작한 것도 이 기업 덕택(?)이다.

2021년 역시 굵직한 기업의 공모가 예정되어 있어 '따상'의 열망은 식지 않을 것으로 보인다. 일부 언론에 따르면 SK그룹의 자회사들과 카카오뱅크 등 초대형 기업들이 상장을 준비하고 있다고 한다. 특히 디지털 금융 시장의 급격한 변화를 이끌어 내고 있는 카카오뱅크의 상장에 이목이 쏠려 있다. '카뱅'이 공모 청약을 시작하는 날, 증권사 객장에는 모처럼 긴 대기줄이 만들어질 가능성이 높다.

하지만 공모주는 만병통치약이 아니다. 상장 첫날 가격이 무조건 올라야 한다는 법칙 따위는 없다. 즉, 최악의 경우 공모 가격보다 상장 후 거래 가격이 낮을 수도 있다는 이야기다. '따상'이 이뤄지려면 시장에서 생각하는 주식의 한 주당 가격이 공모 가격보다 훨씬 높아야 한다. 극단적으로 말하면 주식 한 주의 값어치, 즉 '밸류에이션'이 잘못되어야 한다는 뜻이다. 시장이 생각하는 SK바이오팜 주가는 12만 4천 5백 원이었지만, 공모 가격이 4만 9천 원에 불과했다는 얘기다. SK바이오팜의 입장에서 볼 때는 다소 억울한 일이다. 주당 12만 원이 넘는 돈을 모을 수 있었는데 반에도 못 미치는 5만 원 정도의 자본을 확충하는 데 그쳤기 때문이다.

관심을 많이 받는 공모주의 경쟁률은 수백 대 일에 달한다. 청약 경쟁률이 500:1이라면 10만 원짜리 주식 한 주를 얻기 위해 5천만 원이 필요하다는 얘기다. 1억을 넣어도 수중에 들어오는 주식은 20만 원어치에 불과하다. 그럼에도 불구하고 1%대 예금 금리에 지친 돈들은 2021년에도 공모 청약 시장에 러브콜을 보낼 전망이다.

하지만 한 번쯤 생각해 봐야 한다. 다소 틀에 박힌 이야기일 수 있지만 공모주 투자에서 가장 중요한 것은 공모 가격의 적정성 분석이다. 적정 주가가 10만 원이라면 공모가 5만 원인 주식은 기회의 티켓이 될 수 있다. 하지만 공모가가 20만 원이라면 절대 사지 말아야 한다. 또한 증권가에서 늘 조심할 지점은 미래 예측이다. 예상은 종종 틀리기 마련이다.

상장 첫날 하루에 엄청난 변동성을 보이는 주식이 바로 공모주다. 합리적인 예측에도 불구하고 여러 요인으로 주가가 변할 수 있다. 주식에 어지간히 일가견이 있는 금융 영업인이 아니라면 적극적인 의견 제시는 삼가자. 갈 곳 없는 현금을 두둑이 보유한 거액 자산가 고객을 위해 'IPO', '공모주'를 검색해 정보를 미리 알아 두는 정도를 추천한다.

3. 마이데이터 시대가 온다

2020년 1월, 2018년 이후 장장 3년간 계류되었던 '데이터 3법'이 국회에서 통과되었다. 집값을 잡는 것도, 세금을 올리는 것도, 재난지원금을 주는 것도 아닌 나의 생계와 관계없는 법안이었던 만큼 우리 같은 보통 사람들은 별로 눈길을 주지 않았다. 하지만 금융 영업인이라면 이 법안에 주목해야 한다. 왜 그럴까?

데이터 3법 개정의 주요 골자 중 우리가 눈여겨봐야 하는 부분은 '마이데이터'다. 말 그대로 해석하면 '내 정보'다. 나의 개인(신용) 정보 소유권은 그 개인, 즉 '나'에게 있다는 것이 바로 마이데이터 철학이다. 은행에 돈을 입금하고, 누군가에게 송금하고, 주식을 사고, 펀드를 사는 등 금융 거래로 생긴 데이터의 주권이 금융 기관이 아니라 나에게 있다는 뜻이다. 이런 철학이 이번 법 개정을 통해 구체화되었다.

곳곳에 숱하게 남겨지는 나의 흔적은 내 것인 듯하면서도 내 것이 아니다. 술을 두어 병 마신 후 찾아오는 일시적 기억상실처럼 내 정보가 도대체 어느 곳에 얼마나 쌓이고 있는지 가늠하기 힘들다. 더군다나 내 흔적이 나의 것이라는 사실에 모두가 동의하기는 할까? 내 얼굴이 그대로 박혀 있는 주민등록증을 들고 은행에 가면 내 데이터를 탈탈 털어 내게 돌려주고 있을까? 내 행동으로 남겨진 데이터는 과연 나를 위해서 쓰이고 있을까?

마이데이터의 법제화로 이런 애매모호함이 사라진다. 고객과 관련된 데이터 소유권은 금융 기관이 아니라 고객 본인에게 있음이 명확해졌다. 데이터 주인은 여러 가지를 할 수 있다. 우선 '내 정보 내놔'가 가능하다.

2021년 2월부터 개인은 금융 기관에게 본인 금융 거래 정보의 열람을 요구할 수 있다. 만약 사업자가 응하지 않으면 신용 정보의 이용 및 보호에 관한 법률에서 규정한 제재를 받는다. 잊힐 권리도 명기된다. 삭제를 요구할 수도 있다는 말이다. 주인으로서 당연히 행할 수 있는 권리다.

개정법에는 조금 특이한 권리도 생겨났다. '내 거 나 줘'를 넘어 정보 전송을 요구할 수 있는 권리다. 쉽게 말해 '내 거 재줘'도 가능해진다. 금융 영업인이 눈여겨봐야 할 대목이 바로 이 '정보 전송 요구권'이다.

고객에게 재무설계를 해 주기 위해서는 상당히 큰 노력이 든다. 시중에 있는 재무설계 프로그램을 한 번이라도 들여다본 금융 영업인이라면 익히 알 테다. 투자 상품 설계를 위해 입력해야 할 데이터의 개수가 어마어마하다.

기본적으로 현재 상태를 알아야 한다. 금융 및 부동산 자산, 부채 규모를 파악해 개인의 재무상태표를 만들어 줘야 한다. 현금흐름도 알아야 한다. 평균적인 수입과 지출 규모 파악은 재무 설계의 기초 중 기초다. 재무상태 분석이 완벽히 갖춰지지 않은 상태에서 제시되는 투자 설계는 완벽할 수가 없다.

말이 쉽지 고객을 앞에 두고 이 모든 항목을 꼼꼼히 찾아 기입하기란 불가능에 가깝다. 커피숍에 고객과 마주 앉아 어느 계좌에 얼마가 있는지 기억해 내라고 요구하는 일이 쉬울까? 그 고단한 과정을 이겨 내는 고객은 많지 않다.

영업인도 마찬가지다. 어렵고 귀찮다. 그렇다 보니 시간이 곧 돈인 자산관리사가 종합적인 재무설계보다는 보장분석에만 집중하게 된다. 안타까운 사실은 이런 패턴의 영업 활동이 고객의 노후 준비를 뒷전으로 밀리게 한다는 점이다. 시장의 관심은 줄어들고 재무설계 시장 역시 계속 축소된다. 악순환의 반복이다.

마이데이터의 시작은 재무설계 시장을 비약적으로 발전시킬 수 있는 묘책이 될 것이다. 이런 미래를 생각해 보자. 재무설계를 원하는 고객과 당신이 점심시간을 쪼개 커피숍에서 만났다. 고객에게 태블릿을 내밀며 당신은 이렇게 이야기한다.

"정확한 재무설계를 위해 고객님 자산을 조회해 보겠습니다. 1분이면 됩니다."

고객은 '동의' 버튼을 누르고 본인 확인을 위해 몇 가지 단계를 거친다. 30여 초가 지나니 각종 보험증권은 물론 고객의 은행·증권사 계좌의 잔액과 예·적금, 펀드 등 모든 투자 상품의 매입 금액과 평가 금액이 뜬다. 과거 은행 입출금 내역과 카드 사용 내역도 함께 제공된다. 당신은 이 데이터를 기반으로 상담한다. 고객의 목표자금, 생애 주요 타임라인을 묻고 시나리오별로 미리 준비해 둔 상품을 제시한다. 짧은 시간이지만 고객의 정확한 재무 정보에 기반한 생애주기 재무설계를 제안할 수 있게 된다.

2021년 8월 4일 이후부터 '마이데이터 사업자'는 고객의 동의를 바탕으로 모든 금융 기관에 흩어진 개인의 데이터를 한데 모을 수 있다. 법적 권한이므로 모든 금융 기관은 요청에 협조해야 한다. 즉, 위에서 설명한 시나리오는 먼 미래의 이야기가 아니다. 다만 당장은 개인이 직접 이용하기 어려워 보인다. 마이데이터 사업자나 금융 기관이 자산관리사에게 고객의 데이터를 직접 전송해 줄 수 있는 법적 근거가 없기 때문이다.

다행히도 본인이 소속된 보험사나 증권사 등은 데이터를 수집할 수 있다. 마이데이터 사업자나 금융 기관에게서 데이터를 전송받는 전자적 도관을 연결하고, 데이터를 기반으로 고객에게 투자 상품을 추천할 수 있는 시스템을 만들어 두면 된다. 소속 FP는 고객 요청에 따라 분리 저장되어 있는 각종 금융 데이터를 이용할 수 있다.

오프라인 영업 채널을 관리하는 금융 기관 본점의 관리자라면 사명감을 가지고 이 시장을 눈여겨보아야 한다. 마이데이터는 데이터를 모으는 일종의 허브, 혹은 인프라로 표현된다. 중요한 점은 데이터와 고객을 일치시키는 것이다. 가장 먼저 데이터를 기반으로 고객의 선호를 파악할 수 있는 시스템을 구축해야 한다. 이어서 고객의 선호에 본인 회사가 취급하는 상품을 매칭할 수 있어야 한다. 고객의 데이터를 기반으로 투자 상품을 추천한다면 보다 더 쉽게 판매가 이루어지지 않을까? 영업 채널에게는 분명 새로운 무기가 될 전망이다.

투자 상품을 활용한 재무설계는 프로의 세계처럼 인식되어 왔다. 복잡하고 어렵기 때문이다. 고객 역시 마찬가지다. 적은 돈으로 큰 수익을 얻기 위해 섣불리 주식 시장에 뛰어드는 경우는 더러 있지만, 노후를 위한 종잣돈은 원금이 보장되는 '특판 상품'을 찾는 데 그치고 있다. 그럴수록 고객은 본인의 노후를 책임져 줄 수 있는 금융 영업인을 절실히 찾아 헤맨다.

이벤트성 예·적금 상품이나 디지털 자산관리는 고객의 갈증을 깔끔하게 해소시키지 못한다. 정형화하기 힘든 정보를 바탕으로 고객의 관점에서 개인에게 맞춤화된 금융 서비스를 제공하는 일은 어렵다. 그 역할은 대한민국의 유일한 노후 FP인 당신만이 할 수 있다.

고객의 데이터를 쉽게 모아 더 나은 금융 서비스를 제공해 줄 수 있는 때가 다가오고 있다. 얼마 남지 않았다. 마이데이터의 큰 바람에 몸을 맡겨 보시라. 당신은 선배들보다 훨씬 빠르고 간편하게 자산관리사로 자리매김할 수 있다. 그리고 대한민국의 유일무이한 진짜 노후 FP로 거듭날 것이다. 마이데이터의 시대, 2021년의 새로운 기회를 주목하라.

4. 아직 늦지 않았다, 커져 가는 퇴직연금 시장

과거 수년 동안 정부는 퇴직연금 의무화 정책을 추진하겠다고 시장에 메시지를 보냈다. 대한민국은 OECD 가입국 중 노후

빈곤율 최상위 국가다. 고령화는 급격히 진행되는데 노후 대비는 잘되고 있지 않다는 이야기다.

국민의 노후를 위해 정부는 투자 상품 시장에 여러 정책을 시행 중이다. 가장 대중적인 제도가 개인연금저축이다. 개인연금저축에 연 400만 원을 불입하면 최대 66만 원의 세액공제 혜택을 준다. 국민연금관리공단에는 대한민국에서 투자에 가장 일가견이 있다는 전문가들이 모여 최적의 수익률을 내기 위해 고군분투하고 있다. 개인연금, 국민연금과 함께 3층 보장제도를 담당하는 상품이 퇴직연금이다. 은퇴한 직장인이 퇴직금을 털어 자영업에 뛰어들게 하기보다 연금으로 받도록 유도해 노후 소득을 더 두텁게 하자는 취지로 만들어진 제도다.

퇴직연금제도를 이미 도입한 대기업들 덕에 대한민국 근로자와 회사가 퇴직연금계좌에 적립해 둔 돈은 2019년 말 기준 이미 220조 원을 넘어섰다. 어마어마한 규모다. 이 중 70%에 육박하는 금액이 DB^{Defined Benefit}형이고, 나머지가 DC^{Defined Contribution}형 혹은 개인형 IRP계좌 적립금이다.

DB형과 DC형은 퇴직급여가 정산되는 방식이나 시점에 차이가 있다. DB형은 퇴직금과 거의 같다. 근로자가 퇴직하면 지난 3개월간 월평균 급여에 근속연수를 곱한 금액을 회사가 퇴직급여로 지급한다. 퇴직시점에 정산이 된다고 이해하면 된다. DC형은 그와 다르다. 근로자가 만들어 둔 DC형 퇴직연금계좌에 회사가 매달 일정금액을 입금한다. 회사의 임무는 그것으로 끝이다. 그 돈을 근로자가 직접 운용해서 불릴 수 있는 제도가 DC형 퇴직연금이다.

퇴직연금제도는 2005년 처음 도입되었다. 2020년을 기준으로 무려 15년이나 지났다. 오랜 시간이 지났음에도 불구하고 아직 많은 사람들이 퇴직연금, 특히 DC형 퇴직연금에 무관심하거나 가입을 꺼린다. 그러다 보니 퇴직연금 전체 가입 금액 중 원리금이 보장되는 상품에 투자된 적립금이 90%에 달하는 상황이다.

정부 입장에서는 노후를 두텁게 하기 위해 만든 정책이었다. 하지만 운용 결과는 참담하다. 퇴직연금의 수익률이 과거 평균 예금 금리보다 낮으니 답답할 수밖에 없다. 이러한 고민에서 나온 제도가 미국의 연금제도를 벤치마킹한 '한국형 디폴트 옵션' 정책이다. 디폴트란 기본값을 뜻한다. DC형 퇴직연금에 돈을 넣으면 수익률을 높일 수 있는 상품에 자동으로 돈이 투자되게 하는 내용이 기본 골자다.

디폴트 옵션 외에도 기금형 등 퇴직연금 운용과 관련된 여러 정책들이 나온다. 마치 여론을 살피듯 간헐적으로 신문지면에 등장하고 있다. 정책이 발표되면 연금 관련 업계는 각자의 의견을 들고 들썩거리곤 한다. 연금 적립금 규모가 어마어마한 만큼 다양한 이권이 개입되어 있기 때문이다.

금융 영업인에게 이만한 시장이 또 있을까? 퇴직연금은 분명 영업인에게 큰 기회로 보인다. 특히 현시점에서 더 주목할 필요가 있다. 정부와 금융 기관이 우리를 대신해 마케팅을 해 주고 있기 때문이다. 문제는 우리가 나서고 있지 않다는 점이다. 무려 220조 원의 시장이다. 그 시장을 지금, 당신은 외면하고 있지 않은가? 혜안을 가진 선배들은 이미 시장에 진입해 안정적인 수입을 만들어 내고 있다.

물론 쉬운 길은 아니다. 금융 영업인이라면 누구나 한 번쯤 관심을 가지지만, 소수의 FP만이 정착에 성공한다. 두 가지 측면에서 특히 어렵다. 자산관리 노하우, 그리고 제도적인 측면이다.

우선 제도부터 들여다보자. 퇴직연금 영업을 하려면 먼저 퇴직연금 모집인 교육을 이수하고 검정시험에 합격해야 한다. 그 후 퇴직연금을 취급하는 회사(퇴직연금사업자)와 전속계약을 맺어야 한다. 이제 영업이 남았지만 당신이 컨트롤할 수 있는 영역이 넓지 않다는 점이 더 큰 문제다.

첫 번째 난관은 고객이 속한 회사와 내가 속한 회사 간의 퇴직연금 운용 및 관리 계약 체결 여부다. 계약이 없다면 고객의 퇴직연금을 관리할 수 없다. 또 컨설팅이 가능한 고객은 DC형 퇴직연금 가입자로 한정된다. 물론 고객이 내가 속한 회사에 계좌를 개설해 두고 있어야만 한다. 이런 고객을 찾아내기가 결코 쉬운 일이 아니다. 아니면 이 세 가지 제약 요소를 바꿔 버리는 방법도 있다. 문제는 첫 번째 이슈다. 회사 대 회사의 계약이므로 FP 개인이 컨트롤하기 어려운 영역이기 때문이다.

투자 상품 영업 노하우도 관건이다. 우선 충분한 지식은 당연히 필요하다. '한 달에 30만 원 정도 투자해 볼까' 하고 가입하는 적립식 펀드 영업이 아니다. 근로자는 자신의 노후가 바뀔 수도 있는 문제이기 때문에 담당자를 철저히 검증하고 싶어 한다.

효율성 문제도 있다. 성과연동형 상품을 활용한 DC형 퇴직연금 컨설팅의 경우 고객이 시황에 매우 민감할 수 있다. 취급하는 상품이 많아질수록 응대해야 할 고객 문의도 기하급수적으로 늘어난다.

여러 어려움에도 불구하고 금융 영업인에게 퇴직연금은 매우 중요한 시장이다. 우선 시장 규모 자체가 엄청나다. 220조가 운영되는 시장이다. 게다가 아직 대다수 자금이 DB형에 머물러 있다. 긍정적으로 해석해 보자면 우리가 뛰어들 여지가 그만큼 크다는 의미이다.

노후가 불안하다는 사실을 근로자들이 인지하고 있다는 점도 키포인트다. 퇴직연금 영업 고수들의 전언에 따라 영업의 주요 타깃 범위를 좁힐 수 있다. 한 회사에 오래 근무했고 퇴직을 5년 정도 앞둔 사람이다. 이들이 수십 년간 한 회사에 있으면서 적립해 둔 퇴직급여 규모는 통상 수억 원에 달한다. 하지만 이들에게도 노후는 고민거리다. 모아 둔 돈도 고만고만하고 마땅한 장사 수완도 없기 때문이다.

대부분 예비 은퇴자들이 의지할 것은 퇴직금밖에 없다. 의지한다는 것은 어떻게 하면 퇴직금을 가장 크게 만들고 현명하게 빼내어 쓸 수 있는지를 고민한다는 뜻으로 해석할 수도 있다.

충분한 지식을 갖추고 다가가 효율적으로 관리해 줄 수 있다면 이만큼 좋은 시장이 없다. 고객 한 명 확보만으로도 억대에 달하는 자산을 유치할 수 있고 동류 그룹을 대상으로 한 소개 영업도 매우 수월하게 이뤄지기 때문이다.

마침 2019년 자산운용업계를 뜨겁게 달궜던 Target Date Fund^{TDF}가 퇴직연금 영업에 가장 잘 맞는 상품이다. 종류를 선택하기도 쉽다. 고객의 예상 퇴직연도를 파악하여 가장 가까운 날짜가 쓰인 펀드를 찾으면 끝이다. 예상 퇴직연도가 2040년이라면 'TDF 2040'이 고객 연령에 가장 잘 맞는 펀드다. 2040년이 가까울수록 안전자산 비중이 자동적으로 늘어나도록 설계되어 있어 별도의 리밸런싱 등 후속관리가 필요 없다.

TDF만 권유하면 전문성이 드러나지 않을 수 있으므로 연금 영업에 통달한 FP들은 TDF에 50%를 기본으로 담고, 그 외 자금은 채권형 펀드와 주식형 펀드를 적절하게 섞는다. 포트폴리오를 분산해서 구성하면 위험을 줄이는 효과도 있다. 이때 주의할 점이 있다. 여러 개로 나누어 연금을 운영하는 경우에도 관리하는 펀드의 수가 다섯 개를 넘기지 않아야 한다. 펀드가 많아지면 그만큼 관리하기가 어렵기 때문이다.

퇴직연금 분야는 투자권유대행인 영업을 주로 하는 금융인에게 특히 매력적인 시장이다. 근무연수가 오래된 근로자에게서 거액의 자산을 유치할 수 있다는 점도 좋지만, 월급의 10%에 달하는 자금이 매달 꼬박꼬박 입금된다는 점도 매력적이다. 관리

자산 규모가 계속 커지기 때문이다.

중장기 관점에서 고객에게 건강한 투자를 권유할 수 있다는 것이 퇴직연금 시장의 큰 장점이다. DC형 퇴직연금은 2020년 상반기 중 5천억 원 가까이 늘어났다. 저금리 시대에 지친 고객들은 점차 투자 상품에 눈을 돌릴 수밖에 없다. 준비된 자에게 기회가 오기 마련이다. 늦지 않았다. 고객의 노후를 챙기면서 당신의 노후까지 챙길 수 있는 시장을 절대 놓치지 않기 바란다.

3장을 마치며

수고하셨습니다, 오늘도

해가 거듭될수록 투자 상품 시장의 호흡이 급격히 빨라지고 있음을 느낀다. 고객들은 더 이상 공과금을 수납하기 위해 은행에서 긴 줄을 서야 하는 고통을 받아들이지 않는다. 국민은행 애플리케이션으로 우리은행 계좌를 조회하기도 하고 은행과 전혀 상관없는 핀테크 회사를 통해 돈을 송금하기도 한다. 금융 영업인에게 이러한 변화가 달갑지만은 않다. 고객보다 더 많이 알기위해 들여야 할 노력이 점점 늘어난다. 혁신 금융이라는 세련된이름의 핀테크 회사가 내 밥그릇을 뺏어 가지는 않을까 괜스레 노파심이 들기도 한다.

가장 적게 저축하고 미래에 가장 많이 소비할 수 있게 만들어 주는 것이 투자다. 금융 영업인이 고객에게 좋은 투자 상품을골라 추천해 줘야 하는 이유가 여기 있다. 우리는 그들의 노후생활을 윤택하게 해 주기 위한 가이드다. 일확천금의 유혹에 빠져 '묻지 마 투자'의 문턱을 넘으려는 고객의 바리케이드가 되어줘야 하고, '이생망'을 외치는 사회 초년생을 거두는 어머니가되어야 한다.

진정한 노후 FP가 되어 고객과 나의 삶을 나아지게 하려면고객보다 더 많이 알아야 한다. 아니, 무거운 책임감을 가진 전문가가 되어야만 한다. 그러지 못하면 고객은 내밀었던 손을 거두기 십상이다. 1만 시간을 들여 투자 상품에 익숙해지기 위한 노력을 지금부터라도 시작하자. 당신이 챙겨 주지 못하고 스쳐 지나간 고객은 어쩌면 제대로 된 투자를 경험할 수 있는 소중한 기회를 영영 놓쳐 버릴지도 모른다.

투자 상품을 활용한 노후 설계에는 온기가 필요하다. 고객은 자신의 노후를 진심으로 걱정해 줄 수 있는 당신을 여전히 기다리고 있다. 클릭 몇 번으로 펀드를 사고팔 수 있는 시대가 되었다 한들, 예·적금이라는 우물 안을 맴돌기만 하는 고객은 여전히 많다. 그러면서 은퇴를 걱정하기만 하는 이들에게는 여전히 전문 자산관리사의 손길이 필요하다.

보장분석을 넘어 재무설계에서 자리를 공고히 한 선배들의 조언을 귀담아듣자. 그들에게서 느낄 수 있는 감정은 아마 비슷할 것이다. 바로 고객을 진심으로 걱정해 주는 측은지심이다. 당신의 가치는 생각보다 높다. 오늘 하루 많이 지쳤다면 이 말씀을 꼭 전하고 싶다.

"수고하셨습니다, 오늘도."

4

부동산
시장
트렌드

2020

이동재

2021

2020년 돌아보기
: 부동산과의 끝없는 전쟁

1. 2020년 상반기, 은마아파트는 왜 16% 떨어졌을까?

대치동 은마아파트. 강남 업무지구와 대치동 학원가에 인접하면서 4,424세대의 대단지를 구성하고 있다. 또한 재건축 기대심리까지 반영돼 강남 집값의 바로미터로 활용되는 아파트다.

30평형 기준 2019년 1월 평균 15.5억이던 거래 가격은 그해 12월 20.55억까지 치솟았다. 가장 큰 이유는 저금리와 풍부한 유동성, 강남 안전자산을 향한 사람들의 확신으로 보인다. 그런데 은마아파트가 2020년이 시작되자마자 6월까지 하락세를 보였다.

2019년 12월 20.55억이던 거래가가 2020년 06월 19.01억으로 평균 8% 정도 하락했다. 최고와 최저 가격을 비교해 보면 2019년 12월 21.5억(7층)에 거래된 30평형 아파트가 2020녀 6월에는 17.95억(4층)에 거래되었다. 약 16.5% 하락한 셈이다. 이후 거래량은 다소 줄었지만 가격은 회복되었고 다시 신고가를 갱신하고 있다. 왜 이런 현상이 벌어졌을까?

대치동 은마아파트 실거래가

출처: 호갱노노(hogangnono.com)

　실제 사례를 하나 소개한다. 2020년 상반기에 강남 3주택 자(시가 약 80억 원)를 만나 상담했던 사례다. 고객과 필자 모두 강남 집값이 떨어질 거라고 생각하지 않았다. 향후 장기적인 상승 전망에 서로 동의했지만, 고객의 종합부동산세 부담이 매우 컸다. 강남에 3주택을 유지하면 연간 1억 원 이상의 종합부동산세가 예상되었다. 그나마 다행히 3채 중 10년 이상 보유한 주택이 하나 있었다. 취득가액은 1억 원이고 현재 약 25억 원 정도로 매각이 가능했다. 세전 양도차익은 약 24억 원인데 양도소득세를 부담한 후에는 어떻게 될까?

　아래에서 설명할 양도소득세 중과 한시적 배제가 적용되면, 즉 2020년 6월 30일 이전에 해당 주택을 매각하면 양도소득세가 약 7억 원 내외였다. 24억 원 양도차익 중 7억 원을 세금으로 내야 하니 아깝긴 하지만, 그래도 실효세율로는 30%가 되지 않는다. 그나마 부담할 만한 수준이다. 하지만 2020년 7월 1일 이후에 매각하면 양도소득세가 약 17억 원이 된다. 양도소득세 중과(3주택자 해당, +20%)가 될 뿐만 아니라 장기보유특별공제 또한 적용받지 못하기 때문이다.

고객은 상담 이후 주택을 매각했다. 이 고객만의 고민이었을까? 고가 주택을 소유한 다주택자들은 종합부동산세 부담과 양도소득세를 비교한 후 2020년 6월 이전에 매각을 결정했다. 그리고 시간이 촉박해질수록 급매로 내놓았고 이것이 시장에 반영되어 은마아파트 16% 하락이라는 결과를 낳았다.

2019.12.16 대책

문재인 정부 들어 부동산 정책 기조는 강력한 수요 억제책으로 돌아섰다. 이전 정부의 '빚내서 집 사라'는 옛말이 되었다. 이제 대출을 받으려면 소득이 있어야 하고 대출 없는 내 돈도 자금 출처가 분명하고 소득 증빙이 되어야 부동산을 살 수 있다.

2020년 상반기 은마아파트의 가격 하락은 세금을 조금만 아는 부동산 전문가라면 충분히 예상 가능한 시나리오였다. 2019.12.16 대책 중 양도세 중과 한시적 배제에 따른 일시적 가격 조정이기 때문이다.

2019.12.16 대책은 기존 2017.8.2 대책, 2018.9.13 대책에 이은 수요 억제책이다. 대출 규제(15억 초과 초고가 주택 대출 금

지 등), 종합부동산세율 인상 및 양도소득세 강화 등 강력한 주택 시장 안정화 대책이었다.

이렇게 강력했던 2019.12.16 대책에도 한 가지 완화책이 있었다. 다주택자가 조정대상지역에서 10년 이상 보유한 주택을 양도하면 2019년 12월 17일(대책 발표 다음 날)부터 2020년 06월 30일까지 한시적으로 양도소득세 중과를 배제하고 장기보유특별공제까지 적용해 준다는 내용이다. 이전까지는 2017.08.02 대책에 따라 다주택자의 양도소득세 부담이 매우 컸다.

실제로 2020년 상반기 고객 상담과 강의를 하면서 가장 자주 이야기한 내용이 양도소득세 중과 한시적 배제다. 무주택자나 1주택자는 이 시기를 이용해 급매물을 매수하고, 다주택자는 혜택을 받을 수 있을 때 처분을 고민해야 했다.

주택 시장을 분석하고 전망할 때 많은 전문가가 시장의 수요와 공급을 이야기한다. 원칙적으로 맞는 얘기지만 강남 아파트 시장의 수요는 무한대. 수요와 공급의 양적 분석보다는 정부 정책을 먼저 살펴야 한다. 그리고 이에 반응하는 시장 참가자들의 행동을 질적으로 분석해야 하지 않을까?

2. 2017~2020년 문재인 정부 부동산 대책 돌아보기 – 대출편

2017년 문재인 정부가 들어선 이후 2017년부터 2020년까지 25번의 부동산 대책 발표가 있었다. 2017년 6월부터 2020년

8월까지 발표한 주택 정책 내용은 크게 세 가지다.

> 첫째, 투기 수요를 근절하고 가격 안정을 위한 제도: 금융·세제 개편(수요 억제책)
> 둘째, 실수요자 보호와 서민의 주택 부담 경감을 위한 제도: 금융 및 맞춤형 공급 대책
> 셋째, 주택 공급 정책

부동산 상담을 주로 하는 자산가 고객은 대부분 '수요 억제책'에 민감하게 반응한다. 수요 억제책은 대부분 대출과 세금 규제로 이루어지고 부동산을 다수 보유한 자산가에게 직접 영향을 미치기 때문이다.

지금부터는 문재인 정부의 부동산 대책 중 수요 억제책 위주로 살펴볼 예정이다. 주요 수요 억제책은 2017.08.02 대책, 2018.09.13 대책, 2019.12.16 대책, 2020.06.17 대책, 2020.07.10 대책이다.

정부에서 부동산 대책을 내놓으면 해설 기사가 쏟아진다. 필자는 이런 기사들을 보면 바로 국토교통부나 기획재정부 홈페이지를 방문한다. 부동산 대책의 보도자료 원문이 있기 때문이다. 기사는 그중 몇 가지 꼭지만을 이야기할 뿐이다. 보도자료 원문을 보면 항상 비슷한 목차로 부동산 대책을 설명한다.

1. 주택 시장 동향 및 평가

2. 정책 대응 방향

3. 주택 시장 안정화 방안

4. 향후 추진 일정

이 중 첫 번째인 주택 시장 동향 및 평가 부분을 보면 현 주택 시장 상황을 과열로 판단하면서 원인으로는 항상 같은 점을 지목한다. 바로 저금리와 유동성이다. 꼭 정부의 지적이 아니더라도 많은 사람이 최근 4~5년간 주택 시장 상승의 가장 큰 원인으로 저금리와 유동성을 꼽았다.

정부는 저금리와 유동성에 대응하기 위해 어떤 정책을 펼쳤을까? 대출을 막았다. 대출을 규제해 주택 가격을 잡으려고 했다. 2017~2020년까지 정부가 어떤 식으로 대출 규제를 해 왔는지, 그리고 시장 참가자는 어떻게 반응했는지 살펴보자.

주택자금대출 규제

1) 2017.08.02 대책

2017.08.02 대책을 발표하면서 서울 25개 구, 과천시, 세종시를 투기과열지구로, 서울 11개 구와 세종시는 투기지역으로 지정했다. 정부는 이 지역에서 다주택자의 투기 수요를 시장 과열의 주범으로 진단했다. 실제로 전체 주택 거래량에서 유주택자가 차지하는 비중이 '06~07년 31.3%에서 '13~17년에는 43.7%로

증가했다.

유주택자는 상승한 집값을 기준으로 LTV 70% 대출[1]을 받을 수 있기 때문에 다른 주택을 추가 취득하기가 쉬웠다. 이에 정부는 주택 시장 안정을 위해 투기과열지구 및 투기지역에는 LTV, DTI 40%를 기본으로 하고 다주택자에게는 30%를 적용했다.

2) 2018.09.13 대책

2017.08.02 대책이 나왔지만 시장은 안정되지 않았다. 이후 1년간 지속적으로 상승했다. 앞에서 언급한 대치 은마아파트를 보면 2017년 10월 평균 13.73억이던 가격이 2018년 09월 평균 18.18억으로 32.4% 상승했다.

대치동 은마아파트 실거래가

출처: 호갱노노(hogangnono.com)

---

1 예를 들어 3억에 산 집이 6억이 되고 LTV 70%를 적용받는다면 4.2억을 대출받아 타인 자본만으로도 추가 주택 구매가 가능하다.

은마아파트 가격 상승에는 여러 이유가 있겠지만 앞에서 언급한 대출 규제의 허점이 큰 역할을 했다. 투기과열지구 및 투기지역의 LTV, DTI가 40%, 30%로 규제되었는데도 당시 많은 사람이 70~80%의 대출을 받았다. 어떻게 이런 일이 가능했을까? 개인에게는 대출이 막혔지만 사업자는 가능했기 때문이다. 사람들은 '주택 임대사업자'라는 우회 수단을 이용했다.

지금과는 달리 2017~2018년에는 주택 임대사업자 등록을 유도하고 장려했다. 또한 2017.08.02 대책에서 대출 한도를 70%에서 40%로 줄이면서도 주택 임대사업자 대출에는 별다른 규제를 하지 않았다. 그래서 2017.08.02 대책 이후 많은 투자자가 주택 임대사업자로 등록하고 70~80% 수준의 대출을 받았다. 다주택자도 가능했다.

이에 2018.09.13 대책에서는 주택 임대사업자의 대출 규제를 추가했다. 기존 투기과열지구 및 투기지역 내에서도 70~80%를 적용받던 주택 임대사업자에게 주택담보대출과 동일하게 40%를 적용했다. 고가 주택은 아예 대출을 받지 못하게 막았다. 또한 기존에는 주택 수가 아닌 주택담보대출을 기준으로 대출해 줬지만, 2018.09.13 대책부터는 주택 수를 기준으로 대출 실행 여부를 판단했다.

3) 2019.12.16 대책

2018.09.13 대책은 2017.08.02 대책에 비해서는 효과가 있

었다. 2018년 9월 18.18억까지 올랐던 은마아파트 실거래가는 2018.09.13 대책 발표 이후 2019년 2월 15.2억까지 하락했다. 하지만 이후 반등하여 2019년 12월에는 다시 20.55억까지 상승했다. 정부 정책이 효과를 거두는 듯하다가 다시 실패했다. 이번에는 무엇이 문제였을까?

대치동 은마아파트 실거래가

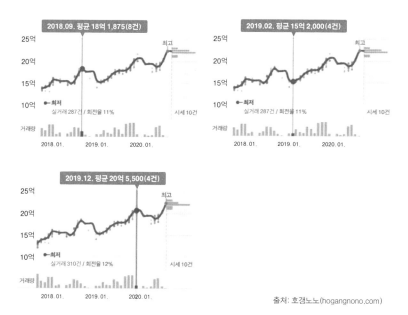

출처: 호갱노노(hogangnono.com)

이미 투자 수익을 맛본 투자자들은 멈추지 않았다. 규제를 피해 대출을 받을 수 있는 방법을 다시 고민했다. 주택 임대사업자 대출은 막혔지만 주택 매매사업자와 법인은 여전히 대출이 가능했다. 대출 규제를 회피할 수 있는 수단이 아직 남아 있었다. 예전에는 법인으로 투자한다는 개념이 생소하였지만, 2019년부터는 부동산 법인을 만들어 규제를 회피하는 수단으로 많이 활용되기 시작했다.[2]

이에 2019.12.16 대책에서는 더 강력한 규제가 동원되었다. 투기지역 및 투기과열지구 내에서는 개인, 사업자, 법인 여부 등을 구분하지 않고 모든 채무자에게 9억 원 이하 LTV 40%, 9억 초과 15억 이하 LTV 20%, 15억 초과 대출 금지라는 강력한 규제를 발표했다.

4) 2020.06.17 대책

2019.12.16 대책의 강력한 대출 규제와 앞서 설명한 10년 이상 보유 다주택자 양도소득세 중과 완화 규정에 힘입어 2020년 06월까지 주택 가격은 상당한 안정세를 보였다. 다만 2020년 06월이 지나자마자 다시 시장이 과열될 기미가 보였다. 이때 정부는 기존보다 훨씬 빠르게 대응하였다.

투기과열지구 및 투기지역에 추가로 대출 규제 수단이 나오지는 않았지만, 그 외 모든 지역의 주택 매매·임대사업자(법인 포함)에게 주택담보대출을 금지했다. 아울러 다주택자에게는 취

---

2 국세청 보도자료(2020. 04. 23.)에 따르면 신규 설립 부동산 법인 수는 2018년 7,796건, 2019년 12,029건, 2020년 1~3월 5,779건으로 급증했다.

득-보유-양도에 걸쳐 전방위로 세금 압박을 했다. 세금 정책은
다음 꼭지에서 살펴보도록 하자.

투기과열지구 및 투기지역 기준 대출 규제 및 시장 반응

구분	정부 대책		시장 반응	
	적용 대상	LTV	대출수단	LTV
2017.08.02 대책	주담대 미보유	40%	주택 임대사업자	70~80%
	주담대 1건 이상 보유	30%		
2018.09.13 대책	1주택 보유세대	원칙 0%, 예외 40%	주택 매매사업자, 법인	70~80%
	2주택 이상 보유세대	0%		
2019.12.16 대책	15억 이하	9억까지 40% 9억 초과 20%	비규제 지역	70~80%
	15억 초과	0%		
2020.06.17 대책	모든 지역의 주택 매매 · 임대사업자 (법인 포함) 주택담보대출 금지		–	–

　　요약하면 문재인 정부는 2017년부터 현재까지 주택 시장
안정화를 목표로 여러 부동산 대책을 내놓았다. 특히 저금리와
유동성에 대응하기 위해 대출을 강하게 규제했지만, 결과는 뜻
대로 되지 않았다. 시장은 여러 수단으로 우회하며 지속적으로
유동성을 만들어 냈고 주택 가격은 계속 상승했다. 올해 내놓은
2020.06.17 대책으로 일단 유동성을 잠재운 것으로 보인다. 하
지만 시장에 풀린 유동자금이 흘러갈 곳이 없는 한 부동산 시장
의 상승세를 잠재우기는 쉽지 않아 보인다.

3. 2017~2020년 문재인 정부 부동산 대책 돌아보기 – 세금편

부동산 관련 의사결정을 할 때 가장 중요한 항목 중 하나가 세금이다. 2015년 10억에 산 아파트가 2020년에 20억으로 올랐다면 10억을 벌었다고 할 수 있을까? 이 경우에 양도소득세는 최소 1.16억(1주택자, 5년 거주 가정)에서 최대 7.75억(3주택자)까지 나온다. 세후 수익은 최대 8.84억에서 최소 2.25억이다. 부동산은 기대하지 못한 큰 수익을 가져다주지만, 내고 싶지 않던 큰 세금을 내도록 만든다.

부동산 세금은 어렵다. 어려울수록 기준을 세우면 좋다. 어떤 세금이든 '과세표준 × 세율'을 기준으로 생각하면 편하다. 부동산 세금은 '취득-보유-처분'으로 생각하자. 2020.07.10 대책은 다주택자와 법인의 세후 수익률을 크게 떨어뜨렸다. 2020.07.10 대책을 중심으로 부동산 세금을 '취득-보유-처분' 단계별로 살펴보자.

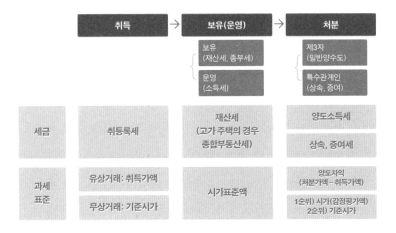

1) 취등록세

부동산을 취득하면 취등록세를 납부한다. 2020.07.10 대책에서 가장 크게 변화한 내용이 취등록세 부분이다. 기존에는 아무리 많이 내더라도 4%였다. 7.10 대책에는 취등록세 중과가 포함되었고 현재 시행 중이다. 다주택자와 법인을 중심으로 취등록세 부담이 매우 커졌다. 7.10 대책 이전과 동일한 부분은 1주택자뿐이다. 2주택자도 취등록세가 8%로 올랐다.

다주택자 · 법인 취득세율 강화

현행(7.10 대책 이전)			지방세법 시행령 개정안('20. 08. 28. 시행)			
개인	1주택	주택 가액에 따라 1~3%	개인	1주택	주택 가액에 따라 1~3%	
					조정	비조정
	2주택			2주택	8%*	1~3%
	3주택			3주택	12%	8%
	4주택	4%		4주택	12%	12%
법인		주택 가액에 따라 1~3%	법인		12%	

* 단, 일시적 2주택은 1주택 세율 적용(1~3%)
※ 상기 세율은 취득세이며 실제 납부해야 하는 지방교육세를 고려하면 8%가 아닌 8.4%, 12%가 아닌 12.4%이다. 또한 85㎡ 초과 주택 거래 시에는 농어촌특별세 0.2%가 가산된다.

증여 시 취득세율 강화

현행	지방세법 시행령 개정안('20. 08. 28. 시행)
3.5%	조정대상지역 내 3억 원 이상: 12.0% 그 외: 3.5%

※ 단, 1세대 1주택자가 소유 주택을 배우자, 직계존비속에게 증여한 경우 3.5% 적용
※ 상기 세율은 취득세이며 실제 납부해야 하는 지방교육세, 농어촌특별세를 고려하면 4.0%, 14.2%가 된다.

실제 사례로 개정된 취등록세의 변화를 알아보자. 2020년 8월 28일 시행된 지방세법 시행령 개정안에 따라 85㎡ 초과 20억 주택을 거래할 때 취등록세 차이는 다음과 같다. 1주택자는 기존과 동일하게 3.3%가 적용되어 6,600만 원의 취등록세를 납부한다. 하지만 2주택자라면 8.4% 세율로 1.68억, 3주택자 이상 혹은 법인이라면 12.6% 세율로 2.52억이 적용된다. 만약 증여를 한다면 공동주택 가격(시가의 75% 수준, 20억 × 75% = 15억)에 14.2%의 세율이 적용되어 2.13억의 취등록세가 발생한다. 취등록세는 증여를 받는 사람이 내야 한다.

기존에는 6,600만 원 정도에 불과하던 세금이 다주택자나 법인에게는 2.52억이 되었다. 무려 1.86억이 증가했다. 실제 현장에서 상담하는 고객이나 주변 투자자의 반응을 보면 이 변화는 시장에 큰 영향을 미친 듯하다. 사실 7.10 대책 시행 이전만 하더라도 추가 주택 취득을 고려하는 다주택자나 법인이 많았다. 예전의 종부세, 양도세 강화 정책은 주택 가격 안정화에 크게 효과가 없었던 셈이다. 하지만 7.10 대책 시행 이후에는 추가 주택 취득을 고려하는 이가 현저히 줄어들었음을 피부로 느낄 수 있다.

2) 보유세(재산세 + 종합부동산세)

부동산을 보유하고 있다면 매년 6월 1일을 기준으로 보유세를 납부한다. 보유세는 실제 거래 가격이 아닌 시가표준액(공동주택 가격 등)을 기준으로 납부한다. 주택을 기준으로 시가표준액이

6억 원(1세대 1주택자 9억 원)을 초과하면 종합부동산세를 추가로 납부한다. 문재인 정부는 2018.09.13 대책, 2019.12.16 대책, 2020.07.10 대책을 통해 조금씩 종합부동산세를 강화했다. 문재인 정부 이전인 2009년부터 2018년까지 유지되었던 종합부동산세율과 2020.07.10 대책을 기준으로 개정된 세율을 비교해 보자.

보유세 변경 내용

2009~2018년 세율		2020. 07. 28. 종합부동산세법 개정안 세율				
과세표준	세율 (개인, 법인 동일)	과세표준	2주택 이하 (조정대상지역 내 2주택 제외)		3주택 이상 (조정대상지역 내 2주택 이상)	
			개인	법인	개인	법인
6억 원 이하	0.5%	3억 원 이하	0.6%	3.0% (공제 없음)	1.2%	6.0% (공제 없음)
		6억 원 이하	0.8%		1.6%	
12억 원 이하	0.75%	12억 원 이하	1.2%		2.2%	
50억 원 이하	1.0%	50억 원 이하	1.6%		3.6%	
94억 원 이하	1.5%	94억 원 이하	2.2%		5.0%	
94억 원 초과	2.0%	94억 원 초과	3.0%		6.0%	

세율로만 비교해 봐도 꽤 큰 차이가 느껴진다. 거기에 공정시장 가액비율, 공시가격 상승까지 감안하면 차이가 훨씬 커진다. 실세 사례로 살펴보자. 35평 대치 은마아파트 1채를 가진 1주택자와 3채를 가진 3주택자의 보유세(재산세 + 종합부동산세)를 간략하게 시뮬레이션해 봤다.

대치 은마아파트 1주택자 vs 3주택자 보유세 시뮬레이션

구분	1주택자				3주택자			
	공시가격^{주1}	시가^{주2}	보유세^{주3}	실효세율^{주4}	공시가격^{주1}	시가^{주2}	보유세^{주3}	실효세율^{주4}
2018	10.16억	17.5억	331만 원	0.19%	30.48억	52.5억	2,259만 원	0.43%
2019	11.04억	19.5억	389만 원	0.20%	33.12억	58.5억	4,319만 원	0.74%
2020	15.33억	20.5억	737만 원	0.36%	45.99억	61.5억	7,231만 원	1.18%
2021	17.63억	22.0억	1,164만 원	0.53%	52.89억	66.0억	17,243만 원	2.61%
2022	19.39억	24.0억	1,483만 원	0.62%	58.18억	72.0억	20,891만 원	2.90%

주1) 공시가격: 공동주택 가격이며 2021년도는 2020년 대비 15% 상승, 2022년도는 2021년 대비 10% 상승을 가정함.

주2) 시가는 당해년도 실거래가를 참조하되 2021~2022년은 공시가격 대비 80%의 역으로 계산하였음.

주3) 보유세는 각 연도의 공시가격, 공정시장 가액비율, 세율 등을 고려하여 계산하였으나 보유기간 및 소유지분 관계 등에 따라 실제 결과와 다소 차이가 있을 수 있음.

주4) 실효세율 = 보유세 ÷ 시가

1주택자는 2018년에 331만 원이던 보유세가 2020년에는 737만 원, 2022년에는 1,483만 원으로 늘어난다. 약 4.48배 상승하지만, 주택 가격을 생각해 본다면 그리 억울하지만은 않다. 납부할 만한 1% 이하 세율이 계속 적용되기 때문이다.

반면 3주택자라면 얘기가 달라진다. 2018년 2,259만 원 내던 사람이 2020년에는 7,231만 원, 2022년에는 2억 이상을 세금으로 내야 한다. 2018년 대비 9.2배인 상승률은 둘째 치고 2억 가까운 세금을 부담하면서 주택을 보유할지 의문이다. 다주택자에게는 큰 고민이 될 수밖에 없는 상황이다.

법인이라면 부담이 더욱 크다. 법인에는 6억 공제 없이 공시가격에 3~6%의 최대 세율을 적용한다. 공시가격 10억짜리 주택을 3채 갖고 있다면 30억의 6%인 1.8억을 매년 부담해야 한다.

2020.07.10 대책 이후 고가 다주택자와 법인의 주택 보유 부담은 매우 커진 상태다. 고가 다주택자 자산가를 상담할 때 가장 먼저 할 일은 보유세 계산이다. 계속 보유할지, 매도할지, 증여할지 등은 세금 계산 이후에 고민하면 된다.

3) 양도소득세

양도소득세는 양도차익을 기준으로 과세한다. 처분가에서 취득가를 빼면 양도차익이 된다. 여기에 다시 비과세 혜택, 장기보유특별공제 등을 차감한다. 그 결과 최종적으로 과세되는 양도차익은 꽤 줄어든다. 2018년 이전에는 양도소득세의 실효세율이 다른 소득과 비교해 높은 편이 아니었다. 하지만 2020.07.10 대책을 기준으로 계산하면 다주택자의 양도소득세 실효세율이 크게 올라간다.

2015년 10억에 취득하여 2020년 20억에 처분하는 경우 양도소득세를 계산해 보자. 1주택자라면 처분가 기준 9억까지는 비과세를 받는다. 20억에 처분한다면 양도차익 중 55%((20 - 9)/20 = 55%)에만 과세된다. 즉, 과세대상 양도차익은 10억이 아니라 5.5억이다. 거기에 추가적으로 장기보유특별공제를 받는다. 5년

1주택자 양도세 계산 과정

조정대상지역 내 2주택자 양도세 계산 과정

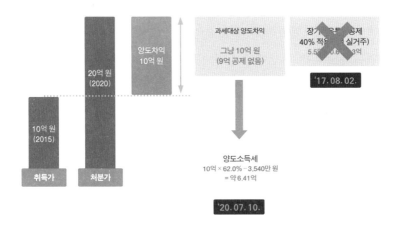

보유 및 거주를 가정하여 장기보유특별공제 40%를 적용받으면
5.5억의 40%인 2.2억이 공제된다. 결국 실제 양도차익 10억 중
과세대상은 3.3억에 불과하다. 3.3억을 기준으로 양도소득세를
계산하면 약 1.16억이다. 즉, 10억을 벌어 1.16억을 세금으로 낸

다. 물론 1.16억이 작은 돈은 아니지만, 그래도 11.6% 정도의 실효세율이라면 과도하다고 볼 수는 없다.

하지만 조정대상지역 내 2주택자라면 어떨까? 2018년 이전에는 9억 비과세 적용만 받지 못할 뿐 장기보유특별공제도 적용되고 양도소득세율 역시 1주택자와 동일했다. 하지만 2017.08.02 대책으로 장기보유특별공제가 없어졌고 2020.07.10 대책으로 2주택자라면 +20%, 3주택자라면 +30%를 가산한다.

즉, 위 사례로 계산해 보면 양도차익 10억 전체가 과세대상이며 세율 62%(42% + 20%)를 적용하면 약 6.4억[3]의 양도소득세를 부담해야 한다. 1주택자는 1.16억 원이었는데 2주택자는 6.4억 원이다. 선뜻 낼 마음이 생기는가? 그렇다고 주택을 처분하지 않고 버티며 1~2억 원의 보유세를 부담하는 쪽을 선택할까?

법인 소유 주택은 기존에는 법인세(10~25%)에 추가 10%만을 적용했다. 하지만 2021년부터는 20%로 변경된다. 즉, 30~45% 세율이 적용된다. 결코 적은 세금이 아니다. 법인 자금을 추후 개인화하는데 다시 세 부담이 있다는 사실까지 감안한다면 법인으로 투자하는 경우의 실익도 크게 감소한 셈이다.

2018~2019년도까지만 해도 양도소득세 중과를 설명하면

---

3 [10억원 × 62% - 35,400,000(누진공제액)] × 110%(지방소득세 가산) = 6.4억 원

고액 다주택자의 반응은 대부분 비슷했다. "안 팔면 된다." 맞는 이야기였다. 팔지 않으면 양도소득세가 아무리 많더라도 부과되지 않는다. 하지만 이제는 상황이 달라졌다.

고액 다주택자가 팔지 않고 버티면 매년 1~2억의 보유세를 부담한다. 그렇다고 팔자니 양도세를 최대 79.2%까지 내야 한다. 작년과 올해 유행했던 법인이나 신탁 같은 우회로 역시 모두 막혔다. 설령 새로운 묘수가 등장해도 과세 당국은 대응책을 빠르게 내놓을 것이다. 정부의 금번 2020.07.10 대책은 다주택자와 법인의 세후 수익률을 크게 떨어뜨리는 정책이었다.

4. 꼬마빌딩, 왜 이렇게 인기가 많아졌을까?

사람들이 부동산에 관심을 갖는 이유가 무엇일까? 당연하게도 경제적 이익을 얻기 위해서다. 부동산으로 얻을 수 있는 경제적 이익은 두 가지다. 매월 받는 임대수익과 양도 시 한 번에 들어오는 시세차익이다. 사람들은 어느 쪽을 더 선호할까?

부동산 상담을 하면 고객별 성향 차이를 느낄 수 있다. 높은 연령대의 고객은 아무래도 시세차익보다 임대수익을 선호한다. 모은 재산은 어느 정도 있지만 지속적인 현금흐름이 불안정하기 때문이다. 젊은 연령층은 반대다. 경제활동을 하기 때문에 수입은 어느 정도 지속적이지만 모아 놓은 재산이 별로 없다.

임대수익의 대표적인 예는 구분 상가이며 시세차익의 대표적인 예는 아파트다. 임대수익과 시세차익은 동시에 추구하기가 어렵다. 구분 상가는 매월 임대수익이 들어오지만, 시세차익을 기대하기는 어렵다. 반면 아파트는 매월 임대수익을 기대하기는 어렵지만 향후 시세차익을 기대할 만하다.

그런데 흔히 꼬마빌딩이라고 불리는 부동산은 조금 다르다. 자본력만 충분하다면 임대수익과 시세차익을 동시에 기대할 수 있다. 꼬마빌딩이란 대략 20~50억 정도의 통건물을 일컫는 말이다. 꼬마빌딩은 토지건물 전체가 1명 소유인 반면, 구분 상가는 집합건물 전체 중에 1개 호수만을 말한다. 둘 다 주거용이 아닌 상업용으로 매월 임대수익을 받지만, 실제 거래될 때는 약간 다른 방식으로 가치가 매겨지는 편이다.

꼬마빌딩(토지건물) – 부동산 전체

구분 상가(집합건물) – 1개 호수

꼬마빌딩은 인근 땅값을 기준으로 거래되는 경우가 많다. '바로 옆에 땅이 평당 7천만 원에 거래되었으니, 여기는 평당 8천만 원에 팔아야지' 하는 식이다. 반면 구분 상가(집합건물)는 철저하게 임대료를 기초로 계산된다. 보증금 5천만 원에 월 임대료가 300만 원이고, 기대수익률이 4.0%라면 9.5억[4] 원에 거래되는 식이다. 물론 상업용으로 이용되는 꼬마빌딩도 임대료를 기초로 한다. 하지만 꼬마빌딩은 개발이익이 우선 반영되어 거래되는 경우가 많다. 왜 그럴까? 꼬마빌딩은 구분 상가와 달리 땅값을 기초로 거래되며 개발이익 기대 가능성이 크기 때문이다.

사례를 통해 살펴보자. 다음은 밸류맵에서 확인되는 삼성역 인근의 꼬마빌딩 실거래 사례다. 파란색 2012년 거래는 토지 평당 6,900만 원, 빨간색 2020년 거래는 토지 평당 1.9억 원에 거래되었다. 8년간 약 2.75배 상승했다. 그렇다면 8년간 이 지역의 임대료가 2.75배 상승했을까? 확인해 보니 임대료가 그만큼 상승하지는 않았다. 그보다는 바로 위에 위치한 한전 부지[5]에서 원인을 찾을 수 있다. 현대자동차그룹 글로벌비즈니스센터로 개발이 확정되면서 향후 지가와 임대료 상승이 예상되기 때문이다. 주변 지역의 개발이익이 꼬마빌딩 시세에도 반영된 것이다.

즉, 꼬마빌딩은 임대료가 현실화되기 이전에 향후 상승 가능성이 부동산 가격에 우선 반영된다. 개발 호재가 있는 지역을 잘 고르고 부동산 물건을 보는 안목이 있다면 꼬마빌딩은 매력

---

4   (300만 원 × 12개월) ÷ 0.04 + 5천만 원 = 9.5억 원
5   2014년 한국전력공사의 공개경쟁 입찰에서 현대차그룹이 10조 원으로 낙찰받은 토지다.

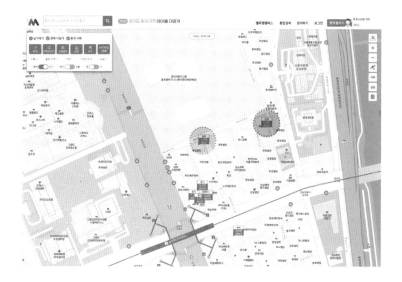

적인 투자 상품이다. 매월 들어오는 임대수익은 기본이고 막대
한 시세차익까지 노릴 수 있는 부동산이 바로 꼬마빌딩이다.

　그런데 최근 5년 사이에는 특별한 호재 없이도 가격이 오른
꼬마빌딩이 매우 많았다. 이유가 무엇일까? 금리 인하에 따른 기
대수익률 감소에서 원인을 찾을 수 있다. 약 5년 전만 하더라도
사람들이 부동산에 투자하면서 기대하는 수익률은 4~5% 수준
이었다. 한국은행 기준금리인 2%에 $+\alpha$(2~3%)를 기대하기 때문
이다. 하지만 최근에는 기준금리가 0.5%까지 떨어졌다. 따라서
부동산에 기대하는 수익률도 2~3% 수준으로 크게 낮아졌다. 어
차피 부동산 가격이 떨어지지만 않는다면 은행 금리보다 조금만
더 받으면 된다는 심리다.

한국은행 기준금리

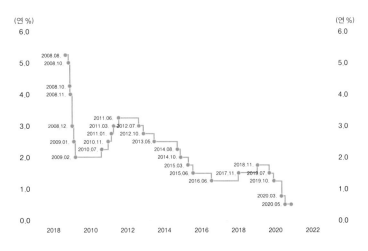

(연 %)

※ 2008년 2월까지는 콜금리 목표

　　이렇게 기대수익률이 낮아지면 어떤 현상이 일어날까? 월
임대료 1,000만 원을 받는 꼬마빌딩의 가치를 기대수익률별로
계산해 보자. 연간 임대료는 동일하지만, 기대수익률이 하락하
면서 꼬마빌딩 가격은 2배까지 상승한다.

기대수익률 인하에 따른 꼬마빌딩의 가격 상승

연도 (기준금리)	가정 기대수익률	연간 임대료	꼬마빌딩 수익가치 (보증금 제외)	가격 상승률
2011년(3.0%)	6.0%	1.2억 원	20억 원	-
2014년(2.5%)	5.0%	1.2억 원	24억 원	20%
2019년(1.25%)	4.0%	1.2억 원	30억 원	50%
2020년(0.5%)	3.0%	1.2억 원	40억 원	100%

지금까지의 논의를 정리해 보자. 꼬마빌딩, 왜 이렇게 인기가 많아졌을까?

첫 번째, 임대수익과 시세차익을 동시에 기대할 수 있다. 안정적인 월세 수입에 막대한 시세차익까지 누리는 부동산은 별로 없다. 두 번째, 시세차익을 기대할 수 있는 이유는 개발이익의 선반영과 저금리에 따른 시장의 기대수익률 하락 때문이다.

그렇다면 꼬마빌딩의 향후 전망은 어떨까? 코로나와 글로벌 경기 침체 상황에서 금리를 올리기는 쉽지 않아 보인다. 또한 정부의 주택 시장 규제 역시 느슨해지지는 않을 것이다. 부동산 시장의 풍부한 유동성이 주택으로 가지 못한다면 어디로 움직일까? 꼬마빌딩의 인기는 당분간 이어질 전망이다.

5. 아파트 분양 vs 상가 분양

○ 청무피사 - 청약은 무슨, 피(프리미엄) 주고 사
○ 선당후곰 - 선당첨 후고민
○ 특공 - 특별공급
○ 일분 - 일반분양

요즘 유행하는 부동산 약어다. 주로 아파트 분양권과 관련된 용어가 많다. 서울, 수도권 지역 내 인기 단지의 청약은 경쟁률도 높고 청약점수도 매우 높다. 청약 고시라는 말까지 등장했다.

아파트 청약은 서민에게 가장 좋은 내 집 마련 수단이다. 아파트가 청약이 되면 왜 프리미엄이 형성될까? 기본적으로는 분양가 상한제 때문이다. 아파트는 토지 위에 지은 건물을 쪼개서 여러 사람에게 분양한 결과물이다. 이 과정에서 인근 아파트 시세가 오르거나 시장이 과열되면 건설사는 투입한 원가(토지 매입가격 + 건물 공사비)와 관계없이 높은 가격으로 분양할 수 있다. 하지만 분양가 상한제 때문에 원가에 약간의 개발이익을 더해서 분양할 수밖에 없다. 즉, 주택(아파트) 청약 당첨은 거의 원가 수준으로 아파트를 공급받는 셈이다.

분양가 상한제 덕분에 아파트 청약에 당첨되면 바로 프리미엄이 붙기도 한다. 수많은 경쟁을 뚫고 당첨된 사람은 로또에 당첨된 것처럼 부러움을 사기도 한다. 아파트 분양 당첨 이후 마이너스 피가 형성되는 경우가 간혹 있지만, 대부분 회복된다. 손해까지 보는 경우는 극히 드문 편이다.

반면 상가 분양은 어떨까? 상가를 분양받으면 로또 대박이라는 이야기를 들어 본 적이 있는가? 필자의 상담 사례와 주변 지인의 경험에 비추어 보면 상가는 분양받고 손해를 본 사람이 더 많다. 왜 그럴까?

상가에는 기본적으로 분양가 상한제가 없다. 내가 상가를 만드는 데 들어간 비용이 100억이면 150억이든 200억이든 얼마에 분양하더라도 아무런 규제가 없다는 뜻이다. 분양받는 사람은 건설사가 비용을 얼마나 썼는지도 모른다. 그렇다면 상가를 지은 건설사는 얼마에 분양할까? 당연히 되도록 높은 가격에 분양한다. 그리고 아파트 분양의 프리미엄 사례, 주변 지역의 개발 호재 등을 강조한다. 사실인 듯, 사실이 아닌 듯, 사실 같기도 한 정보로 고객이 분양받도록 유도한다.

상담했던 고객이 서울 모처의 상가를 분양받았던 사례를 소개하겠다. 그곳은 더블 역세권에서 도보 1분 거리이며 위에는 영화관도 있었다. 언뜻 보기에 괜찮은 자리였다. 고객이 분양받은 상가는 지하 1층의 전용 6평짜리 1칸이었다. 현재 시세를 살펴보니 대략 8천만 원에서 1억 정도다. 월세는 30만 원 정도 받고 있었다. 고객은 2006년에 이 상가를 분양받았다고 한다. 여기서 잠깐 상상해 보자. 당시 고객은 얼마에 상가를 분양받았을까? 10억이다. 놀랍게도 10억 원에 분양을 받았다고 한다. 10억에 분양받은 상가가 14년 후에 1억이 되고 말았다.

여러분이 당사자라면 어떤 감정이 들까? 중요한 사실은 분양 과정에 어떠한 사기나 범죄도 없었다는 점이다. 혹여 분양을 한 건설사에게 책임을 물을 수 있을까? 불가능한 얘기다. 분양한 건설사와 분양받은 당사자 사이의 자유로운 거래이기 때문이다.

아직 상권이 형성되지 않아 임대료를 예측하기 어렵고 분양가 상한제라는 안전장치가 없는 상가 분양은 정말 위험한 시장이다. 아파트 분양의 성공 사례를 주변에서 보다 보면 착각할 수 있다. 상가 분양도 좋지 않을까? 시세는 크게 오르지 않더라도 꼬박꼬박 받는 월세 수입이 막연한 기대감을 갖게 만든다. 하지만 아파트와 상가는 시장이 완전히 다르다. 상가 시장은 철저히 임대료 중심으로 움직이며 상권과 입지에 따라 달라진다. 아파트처럼 어떻게든 살아나는 시장이 아니다.

최근 다주택자 규제로 상가를 향한 관심이 크게 높아지고 있다. 만약 상가에 관심이 있다면 신규 분양보다는 이미 상권이 형성되고 임대료가 안정된 지역을 추천한다. 크게 재미를 보기는 어렵겠지만 쪽박을 찰 확률도 낮다.

일반적으로 신도시 상가는 건물이 준공되고 5~6년은 지나야 상권이 형성되고 안정화된다. 그런데 문제는 상가 안정화 기간 동안에 상권이 변하기도 한다는 점이다. 지하철 출입구에 접한 대로변이 A급 상권일 줄 알았는데 시간이 지나면서 뒷골목이 더 활성화되기도 한다. 빈번하게 발생하는 일이다. 아니면 공급 자체가 지나치게 많아 시간이 지나도 상권 형성이 더딘 경우도 있다.

만약 상가 분양을 받겠다면 위와 같은 상권 예측을 할 정도로 공부를 해야 한다. 쉬운 일이 아니다. 상권 예측은 전문가에게도 어려운 영역이다. 일반 투자자라면 상가 분양을 받기보다는 일산, 분당처럼 이미 안정화가 끝난 신도시에서 구매하라고 권하고 싶다. 만약 주변 고객이 상가 분양을 고민하고 있다면 위험성을 차분히 설명해 드리자. FP의 역할은 고객의 재산을 안전하게 지키고 불리는 것이다.

2021년 미리 보기
: 똑똑한 1채 시대, 부동산 가격은 어디로?

1. 다주택자 vs 1주택자, 치열한 눈치 싸움

2021년 부동산 시장, 특히 서울 주택 시장은 어떻게 될까? 2015년 이후의 상승장이 계속 이어질까? 아니면 이제 하락장으로 반전할까? 누구도 쉽게 대답할 수 없을 것이다. 저금리, 유동성 등 상승 요인과 정부의 지속적인 규제 및 공급 확대에 따른 하방 압력 중 무엇이 더 크게 작용할지 섣불리 판단하기는 어렵다.

하지만 2021년 상반기에 예측되는 움직임이 하나 있다. 매도 타이밍을 지켜보는 다주택자와 급매물을 노리는 1주택 실수요자의 눈치 싸움이다. 2021년 1월과 5월을 기점으로 크게 변화하는 부동산 세금이 있기 때문이다.

1세대 1주택 비과세를 위한 기본 요건 중 하나가 바로 '2년 보유'[6]이다. 다주택자라 하더라도 다른 주택을 양도하고 난 후

―――――――――――

6 조정대상지역은 2년 이상 거주 (2017.08.02 대책)

2021. 01. 01. 이전 vs 이후

구분	2021. 01. 01. 이전 매각 시	2021. 01. 01. 이후 매각 시
1세대 1주택 비과세	비과세 요건을 위한 2년 보유의 기산일 : 해당 주택의 취득일	비과세 요건을 위한 2년 보유의 기산일 : 1주택을 보유한 때부터 추가로 2년 보유
법인	주택 양도 시 추가 과세율 +10%	주택 양도 시 추가 과세율 +20%

마지막으로 남은 1주택을 2021년 이전에 매각하는 경우에는 최초 취득일부터 2년 이상만 보유했다면 1주택 비과세를 받을 수 있었다. 쉽게 말해 남은 1주택의 최초 취득일을 그대로 인정해준다는 의미다.

하지만 2021년 이후에도 다주택자로 남아 있다면 최소 2023년은 되어야 1주택 비과세 혜택을 받는다. 2021년 이후에는 비과세 요건을 위한 2년 보유의 기산일이 해당 주택의 취득일이 아닌 1주택을 보유한 시점으로 변경되기 때문이다. 1주택 비과세 요건이 더 엄격해진다.

또한 법인이 주택을 매각하여 발생하는 양도차익에는 추가 세율을 적용한다. 법인은 부동산 양도차익에 양도소득세(6~42%)가 아니라 법인세(10~25%)를 부담한다. 법인에는 소득 항목별로 세율을 따로 정하지 않고 벌어들인 전체 소득에 세금을 매기는 방식이기 때문이다. 하지만 주택 양도소득에는 세금을 추가로 부과한다.

2021년 이전에는 주택 양도차익에 법인세(10~25%)와 추가 세율 10%만 적용한다. 하지만 2021년 1월부터는 추가 세율이 20%로 늘어난다. 법인 매출에 따라 주택 양도차익에 40%, 45%의 세금이 붙는 결과가 생길 수도 있다. 더불어 2021년부터는 법인 소유 주택에 공제와 세 부담 상한 없이 3%, 6%의 종합부동산세율이 적용된다.

1세대 1주택 비과세를 노리는 다주택자와 종합부동산세 부담이 큰 법인은 2021년이 되기 전에 보유 주택을 팔아야 한다는 압박이 커졌다. 2020년 후반으로 갈수록 강화된 세제 적용 이전에 매물을 정리하려는 다주택자와 법인의 움직임이 있을 것으로 보인다.

2021. 05. 31 이전 vs 이후

구분	2021. 05. 31. 이전 매각 시	2021. 05. 31. 이후 매각 시
보유세	2021년 보유세 부담 X	2021년 보유세 부담 O
양도소득세 (조정대상지역)	2주택자: +10% 중과 3주택자 이상: +20% 중과	2주택자: +20% 중과 3주택자 이상: +30% 중과

2021년 5월이 가까워지면 다주택자의 움직임은 더욱 커질 전망이다. 2020년 상반기에 양도소득세 중과를 회피하고 장기보유특별공제 적용을 받으려는 다주택자들의 급매물이 나왔던 사례처럼 2021년 5월에도 비슷한 움직임이 있을 것으로 보인다.

앞서 '취득-보유-처분'에 따른 부동산 세금 규제를 설명했다. 현재 다주택자 중에 추가로 주택을 취득하려는 이는 거의 없다. 취등록세만 8%, 12%를 내야 하며 보유세도 기하급수적으로 늘어나기 때문이다. 다주택자라면 2021년 5월 31일까지 반드시 고민해야 할 사항이 있다. 급등한 보유세를 부담하면서 버틸 것인가? 아니면 추가 양도세 중과를 부담하기 전에 매각하고 부동산 비중을 줄일 것인가?

보유세(재산세 + 종합부동산세)의 산정 기준일은 매년 6월 1일이다. 6월 1일에 부동산을 소유하고 있는 사람이 1년 치 보유세를 모두 부담하는 구조다. 그래서 매년 5월이 되면 잔금일을 5월 31일 이전으로 앞당기려는 매도인과 6월 1일 이후로 미루려는 매수인의 눈치 싸움이 벌어진다. 그런데 내년에는 눈치 싸움이 더욱 심해질 전망이다. 내년부터 보유세 부담이 매우 커지기 때문이다.

게다가 5월 31일을 기준으로 양도소득세율도 달라진다. 양도소득세는 기본적으로 양도차익 규모에 따라 6~42%의 세율을 적용한다. 2017.08.02 대책으로 조정대상지역 내 2주택자는 +10%, 3주택자 이상은 +20%의 중과를 받고 있다. 하지만 2020.07.10 대책에 따라 2021년 5월 31일 이후에 매각하는 조정대상지역 내 2주택자는 +20%, 3주택자 이상은 +30%의 중과가 적용된다.

결론적으로 내년에는 강화된 세금 규제가 적용되는 시기에 맞춰 보유세 부담이 크고 다주택자가 많은 강남 지역 등을 중심으로 시장 조정이 예상된다. 전통적으로 부동산 가격 예측은 수요-공급을 중심으로 설명해 왔다. 하지만 지금처럼 부동산 규제가 강화되는 시기에는 그에 맞춰 시장을 예측할 필요가 있다.

2. 다시 돌아오는 똑똑한 1채 시대

같은 단지 안에 25평과 50평짜리 아파트가 있다. 단위 면적당 가격은 어느 쪽이 더 비쌀까? 50평짜리가 25평보다 2배 더 비쌀까?

총액은 당연히 50평 아파트가 크지만, 통상 2배까지 차이 나지는 않는다. 즉, 단가로 계산해 보면 소형 아파트의 평당 가격이 더 높게 나온다. 왜 이런 현상이 생겼을까? 이유는 크게 세 가지다.

첫째, 문재인 정부 이전까지는 다주택자 규제가 심하지 않아 소형 아파트 위주로 여러 채를 보유한 사람이 많았다. 둘째, 너무 높아진 가격 탓에 대형 주택 구매 부담이 커졌다. 셋째, 크기보다 위치를 더 중요시하는 사람들의 선호가 생겼다. 즉, 평수를 줄이더라도 더 좋은 지역에 살고 싶어 하는 이들이 늘어났다.

지금처럼 다주택지 규제가 심했던 노무현 정부 시기에 유행했던 말이 있다. 똑똑한 1채! 다주택자는 세금이 과중하니 어설픈 소형 여러 채를 갖기보다 중대형 아파트 1채가 더 낫다는 의미다. 당시 언론에 자주 등장했던 용어다. 실제로 노무현 정부 마지막 해인 2008년 잠실 리센츠 데이터를 보면 면적이 커질수록 평당 가격도 더 높아진다. 지금은 상상하기 어려운 현상이다.

잠실 리센츠 평당 가격 비교

잠실 리센츠 – 2020년				잠실 리센츠 – 2008년			
전용면적	공급면적	시세	평당 가격 (만 원/공급평)	전용면적	공급면적	시세	평당 가격 (만 원/공급평)
59㎡	24.8평	18억	7,260	59㎡	24.8평	6.5억	2,440
84㎡	33.3평	22억	6,610	84㎡	33.3평	9억	2,700
124㎡	48.1평	25억	5,200	124㎡	48.1평	15억	3,120

문재인 정부의 다주택자 규제는 과거 노무현 정부 때보다 강도가 훨씬 세다. 어느 정부라도 1주택자는 규제하기가 어렵다. 아무리 고가라도 1주택자는 실수요자이기 때문이다. 이럴 때 많은 다주택자들이 세금 규제 회피를 위해 1주택자로 전환한다. 이 과정에서 강남처럼 중대형 수요가 많은 지역에는 중대형 가격이 소형보다 더 높아지는 현상이 일어난다.

실제 상담했던 고객 중에 사업으로 성공한 분이 있었다. 소득 증빙이 가능한 현금을 40억 정도 보유한 무주택자였다. 주택을 구입하려는데 중대형 1채와 소형 2채를 놓고 고민했다. 본인이 여유 있게 거주할 압구정 현대아파트 50평짜리 1채(시가 40억)와 자녀들의 분가를 고려한 반포 래미안퍼스티지 25평 2채(1

채당 22.5억) 중에 무엇이 더 나을지 물어봤다.

압구정 현대아파트 1채를 갖고 있다면 예상되는 보유세는 3~4천만 원 수준이다. 적지 않은 금액이지만 40억 재산의 약 0.75~1.0% 수준을 납부하는 정도다. 반면 반포 래미안퍼스티지 25평 2채를 갖고 있다면 1.0~1.4억의 보유세가 나온다. 45억 재산의 약 2.2~3.1% 수준을 부담해야 한다. 재산 수준은 비슷하지만, 세 부담 차이는 크다.

양도세는 어떨까? 취득가액 10억, 보유기간 10년이라고 가정할 경우 압구정 현대아파트는 양도차익 30억에 약 1.75억 정도의 양도소득세가 예상된다. 반면 반포 래미안퍼스티지는 취득가액 10억, 처분가액 22.5억인 주택 1채만 팔아도 2주택자에 해당되어 양도차익 12.5억에 양도소득세 6.75억을 부담해야 한다. 게다가 2021년 이후에는 나머지 1채에 1주택 비과세를 받기 위해 2년을 더 기다려야 한다.

집이 넓어서 나쁠 건 없다. 반면 집을 여러 개 갖고 있으면 세

대형 1채 vs 소형 2채

구분	압구정 현대 50평형 1채	반포 래미안퍼스티지 25평형 2채
시가	40억	22.5억 × 2 = 45억
보유세	연간 3~4천만 원	연간 1~1.4억 원
양도 소득세	9억까지 비과세, 장기보유특별공제 가능	비과세 및 장기보유특별공제 불가능
	취득가액 10억, 10년 보유 및 거주 시 약 1.75억	취득가액 10억, 처분가액 22.5억 기준 약 6.75억

금을 많이 내야 한다. 당신이 자산가라면 어떤 선택을 하겠는가? 정부 규제가 지속될수록 많은 다주택자가 1주택자로 전환할 것이다. 2021년 이후 다시 똘똘한 1채 현상이 나타날 가능성이 커 보인다.

3. 꼬마빌딩 상속증여, 국세청의 감정평가를 조심하자

건물주와 사전 증여

건물주. 모든 월급쟁이의 꿈이다. 그리고 금융 영업을 하는 이에게는 VIP 고객이다. 금융 영업 현장에서는 부동산 자산 50억 이상의 건물주에게 상속세 재원 마련을 위해 종신보험을 소개하는 FP를 종종 볼 수 있다. 50억 이상의 건물주라면 상속세가 아무리 적더라도 10억 이상은 되니 종신보험으로 재무설계를 하는 것은 당연한 귀결로 보인다.

영업 현장에서 건물주에게 재무설계를 하는 FP를 보면 종신보험만 이용하지는 않는다. 고객이 보유한 부동산의 지속적인 가치 상승이 예상된다면 사전 증여와 함께 재무설계를 하는 경우가 많다. 사전 증여를 하면 여러 이점이 있기 때문이다.

※ 사전 증여의 이점
① 상속인(부모)의 재산을 줄여 상속세 부담을 낮춘다.

② 피상속인(자녀)의 소득을 마련하여 합법적인 소득 증빙을 가능하게 한다.

③ 증여재산공제를 활용할 수 있다.(배우자 6억 원, 성인 자녀 5천만 원)

④ 증여재산가액을 낮게 평가하여 증여세를 줄일 수 있다.

네 번째 항목을 자세히 살펴보자. 「상속세 및 증여세법」에서 상속·증여 시 재산가액을 산정하는 원칙은 1순위가 시가, 2순위가 보충적 평가방법이다. 1순위인 시가는 본건 거래 사례, 감정평가법인 등의 감정평가액 등(상속세 및 증여세법 제60조 제1항, 제2항)이다. 2순위인 보충적 평가방법은 토지는 공시지가, 건물은 국세청장이 산정·고시하는 가액 등(상속세 및 증여세법 제60조 제3항, 제61조~제65조)을 말한다.

상속세 및 증여세법

법 제60조 (평가의 원칙 등)	① 이 법에 따라 상속세나 증여세가 부과되는 재산의 가액은 상속개시일 또는 증여일(이하 '평가기준일'이라 한다) 현재의 시가(時價)에 따른다. 이 경우 제63조 제1항 제1호 가 목에 규정된 평가방법으로 평가한 가액(제63조 제2항에 해당하는 경우는 제외한다)을 시가로 본다. ② 제1항에 따른 시가는 불특정 다수인 사이에 자유롭게 거래가 이루어지는 경우에 통상적으로 성립된다고 인정되는 가액으로 하고 수용가격·공매가격 및 감정가격 등 대통령령으로 정하는 바에 따라 시가로 인정되는 것을 포함한다.

③ 제1항을 적용할 때 시가를 산정하기 어려운 경우에는 해당 재산의 종류, 규모, 거래 상황 등을 고려하여 제61조부터 제65조까지에 규정된 방법으로 평가한 가액을 시가로 본다.

제61조
(부동산 등의
평가)

① 부동산에 대한 평가는 다음 각 호의 어느 하나에서 정하는 방법으로 한다.
1. 토지: 개별공시지가
2. 건물: 건물의 신축가격, 구조, 용도, 위치, 신축연도 등을 고려하여 매년 1회 이상 국세청장이 산정·고시하는 가액
(이하 생략)

지금까지 사전 증여를 진행한 대부분 부동산 자산가들은 2순위인 보충적 평가방법으로 산출한 증여재산가액을 기준으로 증여세를 납부했다. 왜일까? 시가보다 보충적 평가방법으로 평가한 가액이 일반적으로 낮기 때문이다. 지역별, 물건별로 다르긴 하지만 대략 1.5~2.0배 정도 차이가 난다. 실제로 100억 가치의 부동산을 사전 증여하면서 시가대로 증여세를 납부하지 않고 50~70억(보충적 평가방법)을 기준으로 삼아 증여세를 줄인 사례가 있다.

국세청에서 감정평가를 한다고?

위에서 말한 사전 증여 방법은 과거 건물주에게 아주 큰 도움이 되는 절세 수단이었다. 100억짜리 부동산을 자녀에게 주면서 50~70억을 기준으로 세금을 내니 당연한 결과였다. 금융 영업 현장에서도 빼놓지 않고 소개되는 중요한 절세 방법이었다. 그런데 올해 국세청이 칼을 빼 들었다. 국세청 보도자료를 살펴보자.

국세청 보도자료(2020. 01. 31.) 요약

시행배경	상속 · 증여세는 시가 평가가 원칙이나 비주거용 부동산은 시가 대비 저평가되어 형평성 논란이 있어 왔으며, 이에 국세청은 불공정한 평가관행을 개선하고 과세형평성을 높이기 위해 감정평가사업을 시행하게 되었음.
법령개정	'19년 2월 「상속세 및 증여세법 시행령」 개정으로 평가기간 이후 법정 결정기한까지의 감정가액도 시가로 인정받을 수 있는 법적기반이 마련되었음.
평가대상	1) 비주거용 부동산 및 지목의 종류가 대지 등으로 지상에 건축물이 없는 토지(나대지)를 대상으로 하며, 보충적 평가방법에 따라 신고하여 시가와의 차이가 크고 고가인 부동산을 중심으로 감정평가를 실시할 계획임. 2) 2019. 02. 12. 이후 상속 및 증여받은 부동산 중 법정결정기한 이내 물건이 대상임.
평가절차	감정평가는 둘 이상의 감정기관에 의뢰하고, 평가가 완료된 후에는 평가심의위원회 심의를 거쳐 시가로 인정된 감정가액으로 상속 · 증여재산을 평가하게 됨.
기대효과	감정평가사업의 시행으로 꼬마빌딩 등에 대한 상속 · 증여세 과세형평성을 높이게 될 것으로 기대되며, 납세자의 자발적인 감정평가를 유도하여 자산가치에 맞는 적정한 세금을 신고 · 납부하는 등 성실납세 문화 확산에도 도움이 될 것임.

보도자료를 조금 이해하기 쉽게 국세청 입장에 빙의해서 자의적으로 해석해 보면 아래와 같다.

시행배경	기존에 100억짜리를 50~70억을 기준으로 상속 · 증여세를 냈다는 사실을 이미 알고 있음. 아파트는 단지 내 거래 사례가 많아서 시가 기준으로 상속 · 증여세가 과세되지만, 꼬마빌딩(비주거용 부동산)은 시가가 명확하지 않다는 이유로 보충적 평가방법을 활용해 상속 · 증여세가 덜 걷히고 있음.

	감정평가법인 등의 감정평가액을 근거로 시가 기준 상속·증여세를 과세할 수 있는 방법은 없을까?
법령개정	그렇다면 꼬마빌딩은 납세자가 보충적 평가방법으로 신고하더라도 국세청이 직접 평가를 의뢰하면 어떨까? 그러기 위해서는 예산[7]도 확보하고 평가기간[8]이내의 감정평가액만 시가로 인정하던 것에 예외를 만들자. 평가심의위원회의 심의를 거치면 예외적으로 평가기간 경과 후에도 법정 결정기한 이전까지 감정평가를 받은 건 인정하도록 하고, 국세청이 평가를 의뢰하면 되겠네.
평가대상	1) 아파트 같은 주거용 부동산은 금액도 작고 시가대로 잘 신고하는 편이니 비주거용 부동산 위주로 하는데, 2) 예산도 쓰고 인력도 쓰기 때문에 기왕이면 보충적 평가방법과 시가의 차이가 크고 고가인 부동산을 중심으로 하자.
평가절차	납세자가 보충적 평가방법으로 50억이라고 신고했는데 감정평가법인에 물어보니 100억이라고 하네? 그렇다면 두 개 감정평가법인에 의뢰하고 평가심의위원회를 거쳐서 100억을 기준으로 다시 과세해야지.
기대효과	이렇게 하면 과세형평성도 높일 수 있고 납세자들이 자발적으로 평가해 올 것 같아.

---

7 국세청은 비주거용 부동산 감정평가사업에 약 20억 원의 예산을 측정했다고 알려져 있다. 참고로 100억짜리 부동산 감정평가 시 수수료는 약 1,300~1,600만 원(2개 감정평가법인 의뢰 기준) 정도다.

8 상증법상 평가기간은 상속의 경우 평가기준일(상속일) 이전 6개월과 이후 6개월이다. 증여의 경우는 평가기준일(증여개시일) 이전 6개월과 이후 3개월을 의미한다.

건물주와 FP의 대응방법은?

이제 건물주가 상속 · 증여를 생각할 때 보충적 평가방법을 기준으로 실행하는 방법은 리스크가 매우 커졌다. 보충적 평가방법으로 했다가 국세청이 감정평가를 하면 세 부담이 심하게 커지기 때문이다. 실제 아래 국세청 Q&A 사례를 살펴보면 약 10억 정도 세 부담 증가가 발생한다.

국세청 보도자료(2020. 01. 31.) 중 Q&A 사례
– 보충적 평가방법 신고분의 감정평가 시 세액 계산 사례

단위: 백만 원

구분	보충적 평가방법 신고 시	감정평가 시	차액
증여세 과세가액	3,500	5,500	2,000
증여세 재산공제	50	50	–
과세표준	3,450	5,450	2,000
세율	50%	50%	–
산출세액	1,265	2,265	1,000

건물주는 두 가지 중 하나를 선택해야 한다. 첫째, 향후 세 부담 증가 리스크를 감수하고 일단 보충적 평가방법으로 신고한다. 둘째, 직접 사전에 평가를 의뢰하여 평가액은 높아지더라도 리스크를 줄인다. 상기 사례로 본다면 첫 번째 방법은 35억으로 신고하고 국세청이 평가할지 말지 맘 졸이면서 기다리는 것이다. 두 번째 방법은 미리 자발적으로 평가받아 55억에 신고하는 것이다.

그렇다면 건물주 재무설계를 담당하는 FP는 어떻게 해야 할까? 어떤 조언이 필요해 보이는가? 정답은 없다. 최종 결정은 고객이 한다. FP는 위 내용을 충분히 설명하고 건물주의 의사결정을 도와줘야 한다.

FP에게는 국세청의 감정평가사업이 오히려 더 큰 기회가 될 수 있다. 과거보다 종신보험의 중요성이 더 커지기 때문이다. 위의 국세청 보도자료를 상속으로 바꿔서 생각해 보자. 10억 공제를 감안하더라도 상속세 재원 마련의 필요성이 9.5억 정도 증가한다. 즉, 이전에는 8.4억의 상속세만 준비하면 되었지만 이제는 17.9억의 상속세를 준비해야 한다. 국세청 덕분(?)에 종신보험의 중요성을 조금 더 쉽게 설명할 수 있지 않을까?

상속세 계산 사례
– 보충적 평가방법 신고분의 감정평가 시 세액 계산 사례

단위: 백만 원

구분	보충적 평가방법 신고 시	감정평가 시	차액
상속세 과세가액	3,500	5,500	2,000
상속세 재산공제	1,000	1,000	–
과세표준	2,500	4,500	2,000
세율	50%	50%	–
산출세액	840	1,790	950

4. 프롭테크를 통한 부동산 시세 분석,
이제는 고객을 위한 필수 서비스!

앞에서 상속·증여 시 재산가액 산정 원칙은 1순위가 시가, 2순위가 보충적 평가방법이라고 했다. 2순위를 활용하는 사전 증여 절세 전략은 국세청의 감정평가사업이 시행되면서 리스크가 커졌다. 그래서 시가를 기준으로 상속세 재원 마련을 위한 종신보험의 필요성이 증대되었다. 이제 영업 현장에서 재무설계를 하는 FP에게 부동산 시가를 확인하는 방법은 필수 지식이 되었다.

지금부터는 프롭테크 서비스를 활용해 부동산 시가, 시세를 분석하는 방법을 소개하고자 한다. 감정평가사에게 부동산 시세 분석은 상대적으로 쉬운 작업이다. 일반인들이 보기 어려운 실거래가, 평가 전례 자료를 열람할 수 있는 권한이 있고 부동산 가치 판단을 위한 전문성을 갖췄기 때문이다. 하지만 최근에는 일반인도 부동산 가격 정보를 열람할 수 있도록 국토교통부에서 부동산 실거래가 자료를 일부 공개하고 있으며 이를 활용한 프롭테크 스타트업이 활성화되었다.

프롭테크Proptech란 부동산을 뜻하는 Property와 기술을 뜻하는 Technology의 합성어다. 부동산 산업에 다양한 기술을 접목하여 보다 혁신적인 서비스를 제공하는 산업을 뜻한다. 부동산 시세 분석에 유용한 대표적인 프롭테크 서비스는 호갱노노와 밸류맵이다.

호갱노노와 밸류맵을 활용하면 대부분 부동산의 시세를 파

출처: 국토교통부 실거래가 공개 시스템(http://rt.molit.go.kr/)

악할 수 있다. 아파트는 호갱노노, 토지건물은 밸류맵을 활용하면 된다. 호갱노노(hogangnono.com, 앱으로도 서비스함)는 아파트를 살 때 호갱(호구 + 고객)이 되지 말라는 뜻이다. 다른 서비스와 달리 지도를 기반으로 아파트 가격 정보를 표시하여 출시되자마자 큰 인기를 얻었다.

다음 그림처럼 지도에서 아파트 아이콘을 클릭하면 왼쪽에 그동안의 실거래가를 그래프로 표시해 준다. 그래프를 클릭하면 세부적인 실거래가 정보가 나온다. 그뿐만 아니라 필터 기능을 이용해 평형, 가격, 세대수, 입주 연차, 전세가율, 주차공간 등 다양한 조건을 지정하여 원하는 아파트 단지를 검색할 수도 있다. 해당 아파트 단지 아이콘을 선택하면 입주 연도, 입주 세대, 실거래 금액, 거래량, 매물 가격, 대출계산기, 3D 평면도, 교통 여건, 주변 학교정보 등 상세한 내용 확인도 가능하다.

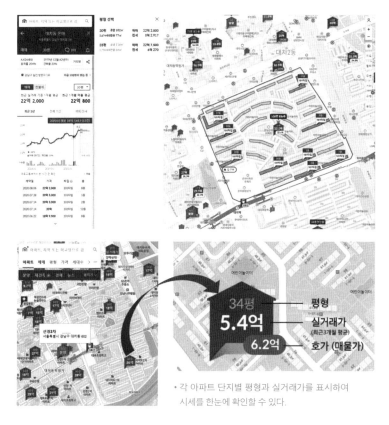

• 각 아파트 단지별 평형과 실거래가를 표시하여 시세를 한눈에 확인할 수 있다.

출처: 호갱노노(hogangnono.com)

　　밸류맵(www.valueupmap.com, 앱으로도 서비스함)도 호갱노노 와 유사하게 지도 위에 부동산 실거래가를 표시해 준다. 호갱노 노와 다른 부분은 아파트가 아닌 토지건물 및 상가의 부동산 실 거래가 정보를 표시한다는 점이다.

　　아파트는 규격화되어 있고 가격 정보 파악이 비교적 용이한 편이다. 반면 토지건물 및 상가는 개별성이 크고 시세 파악이 상대적으로 어렵다. 그래서 밸류맵으로 부동산 시세를 파악할 때는 필터와 총액/단가 기능의 활용이 필수다.

간단하게 토지건물 시세를 파악하고자 할 때는 주로 필터 기능을 이용해 거래 연도를 최근 3년으로 설정하고 인근 토지의 평당 단가를 본다. 분석해야 하는 땅이 100평이고 실거래가를 통해 확인된 인근 지역 평당 가격이 1,700만 원 수준이라면 해당 부동산의 시세는 100평 × 1,700만 원 = 17억 원이다.

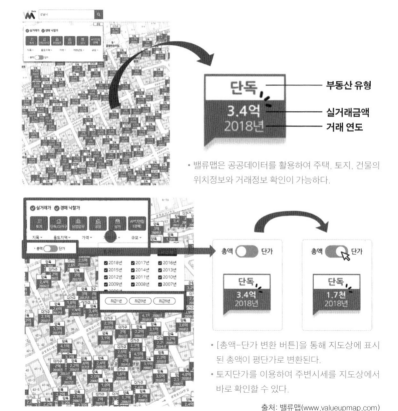

• 밸류맵은 공공데이터를 활용하여 주택, 토지, 건물의 위치정보와 거래정보 확인이 가능하다.

• [총액-단가 변환 버튼]을 통해 지도상에 표시된 총액이 평단가로 변환된다.
• 토지단가를 이용하여 주변시세를 지도상에서 바로 확인할 수 있다.

출처: 밸류맵(www.valueupmap.com)

짧은 지면 안에 부동산 시세 분석법을 모두 서술하기는 어렵다. 다행히 유튜브 같은 곳에 상기 앱을 활용하는 동영상이 많이 소개되어 있기 때문에 익히기가 어렵지는 않을 것이다. 위의 2가지 프롭테크 서비스를 활용하면 고객이 보유한 부동산 시세를 파악하고 자산가의 재무설계에 필요한 기초자료를 만들 수 있다. 향후 자산가의 재무설계를 위해서는 금융자산 외에 부동산 자산 분석도 필수가 될 것이다.

5. 분양권 당첨이 되었다면?
공동 명의, 프리미엄 반영을 통한 양도세 절세를!

지금처럼 가파른 부동산 상승기에 내 집 마련을 하는 최고의 방법은 누가 뭐라 해도 청약 당첨이다. 특히 2020년부터 시행되는 민간택지 분양가 상한제 때문에 높아진 시세 대비 낮아진 분양가가 더욱더 매력적으로 느껴진다. 물론 청약 당첨은 그만큼 어려워졌다. 청약 경쟁률이 100:1을 넘는 단지가 등장하면서 84점[9]짜리 만점 청약통장도 나오고 있다.

청약 당첨이 물론 어렵지만 본인이나 고객, 주변 지인이 되었다면 어떻게 해야 할까? 일단 같이 기뻐해 주고 절세를 준비

---

9 84점짜리 청약통장이 되려면 무주택기간 15년(32점) + 부양가족 6명 이상(35점) + 입주자 저축 가입기간 15년 이상(17점)이 되어야 한다.

해야 한다. 분양권 당첨이 되면 일반적으로 배우자와 공동 명의를 하는 편이 절세에 유리하다.

종합부동산세 대상이 되는 고가 주택은 1인 소유일 때는 9억 공제인 반면, 배우자와 공동 명의일 때는 각각 6억씩 12억이 공제된다. 또한 양도소득세의 기준인 양도차익도 2명이 나눠서 계산하며 인적공제도 2번 받으므로 절세에 유리하다. 그런데 공동 명의만 하는 것보다는 공동 명의를 하면서 프리미엄을 반영해 신고하면 추가적인 양도소득세 절세도 가능하다.

분양권 공동 명의 개념

분양권은 개별 청약이므로 최초에 한 명이 당첨된다. 당첨된 분양권 일부를 배우자에게 소유권 이전하는 행위를 분양권 공동 명의라고 한다. 분양권 공동 명의는 주택법상 전매에 해당하며 세법상으로는 증여에 해당한다.

공동 명의를 하면 앞에서 설명했듯 종합부동산세와 양도소득세를 줄일 수 있다. 다만 공동 명의는 세법상 증여에 해당하므로 증여세를 납부할 수도 있다. 하지만 대부분 공동 명의가 배우자와 이루어지는 점을 감안하면 증여세는 거의 발생하지 않는다. 배우자 증여공제 6억 원이 있기 때문이다. 6억 원까지는 배우자에게 증여를 하더라도 증여세가 과세되지 않는다. 분양권 공동 명의의 장점만을 누리고 추가 비용이 발생하지 않는다는 이점이 있다.

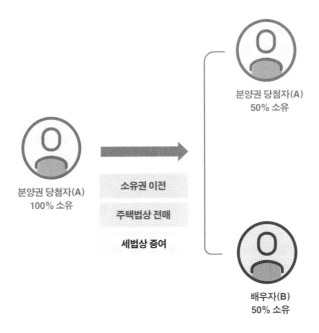

분양권 당첨자(A)
50% 소유

분양권 당첨자(A)
100% 소유

소유권 이전

주택법상 전매

세법상 증여

배우자(B)
50% 소유

분양권 공동 명의 후 프리미엄을 반영한 증여재산 신고로
양도소득세 절세

　분양권 공동 명의는 세법상 증여다. 분양권 공동 명의를 완료하면 수증인(증여받는 사람, 당첨자의 배우자)은 증여 신고를 해야 한다. 분양권 증여 신고 시 증여받은 재산가액을 산정하는 방법은 2가지다. 첫 번째는 분양가 그대로 하는 방법이고, 두 번째는 시가(분양가 + 프리미엄)로 하는 방법이다.

　분양가로 증여 신고를 하면 수증인의 취득가도 분양가가 된다. 반면 시가로 증여 신고를 하면 수증인의 취득가는 시가(분양가 + 프리미엄)가 된다. 그러면 취득가가 프리미엄만큼 상승하여 양도소득세 계산 시 양도차익이 작아진다. 따라서 양도소득세도 줄어든다.

①분양가와 ②시가(분양가 + 프리미엄)로 증여 신고할 때 각각 어떤 차이가 발생하는지 사례를 통해 살펴보자. 분양가 9억 원, 시세 15억 원(프리미엄 6억 형성)인 분양권을 50:50으로 공동 명의하면 향후 16억 원에 매도 시 다음과 같은 차이가 발생한다.

분양권 공동 명의 후 증여재산 신고 방법만 바꿨을 뿐인데 양도소득세가 적게는 4,300만 원에서 많게는 2.35억 원까지 차이 난다. 분양권 공동 명의, 배우자 증여공제를 활용해 양도소득세를 크게 절세할 수 있음을 알 수 있다. 다만 증여 이후 5년 이내에 매각하면 양도소득세 이월과세 규정[10]이 적용되어 증여 신고에 따른 취득가(7.5억)가 아닌 최초 취득가(4.5억)를 기준으로 양도소득세가 계산되니 유의하여야 한다.

---

10 현행 세법에는 양도소득세 이월과세 제도가 있다. 부동산을 증여받은 수증자가 5년 이내에 증여재산을 타인에게 양도하면 최초 재산을 증여한 당사자가 직접 양도한 것으로 간주해 양도세를 재계산해 부과한다. 이는 배우자나 직계존비속 간의 증여 시에 일정 금액의 증여공제를 받고 증여 직후 재산을 양도해 양도소득세를 줄이려는 행위를 방지하기 위함이다.

분양권 공동 명의 후 증여재산 신고 방법에 따른 양도차익 및 양도소득세 차이

구분	방법 1: 분양가 기준	방법 2: 시가(분양가 + 프리미엄) 기준
취득가	A(수분양자) 취득가 : 4.5억 원 B(수분양자의 배우자) 취득가 : 4.5억 원 A + B = 9억 원	A(수분양자) 취득가 : 4.5억 원 B(수분양자의 배우자) 취득가 : 7.5억 원* A + B = 12억 원
처분가	16억 원	16억 원
양도차익	16억 원 − 9억 원 = 7억 원	16억 원 − 12억 원 = 4억 원
양도소득세 계산(5년 보유, 2년 거주 가정)		
1주택자	80,025,000원	36,547,500원
2주택자**	436,755,000원	234,410,000원
3주택자**	513,480,000원	278,135,000원

* 시가(15억 원) 기준으로 50%를 증여받았다고 신고하였으므로 7.5억이 취득가가 된다.
** 2020.07.10 대책 반영하여 2주택자 중과 +20%, 3주택자 중과 +30% 적용

너무 좋은 방법인데 증여세가 발생하지 않나요?

앞의 사례에서 단지 증여재산가액 신고 방법만 바꿨는데 상당한 양도소득세 절세효과가 발생한다. 그런데 시가 기준 B(수분양자의 배우자)의 취득가가 7.5억이므로 이런 의문이 들 수 있다. 배우자 증여공제는 6억 원까지이니 초과분 1.5억 원에는 증여세가 발생하지 않을까? 그럴 수도 있고 아닐 수도 있다.

분양권 공동 명의 시 증여하는 재산가액은 분양권 전체가 아니다. 앞 사례의 방법 2(분양가 + 프리미엄)를 기준으로 하면 증여재산가액은 '(기납입금액 + 프리미엄) × 지분 비율'로 계산한다.

예를 들어 분양가 9억 원의 20%를 계약금으로 납입하고 프리미엄 6억이 형성된 분양권이라면 (9억 원 × 20% + 6억 원) × 50% = 3.9억 원이 증여재산가액이 된다. 분양권을 공동 명의한 이후 납입해야 하는 금액(9억 원 × 80%)은 A(수분양자)와 B(수분양자의 배우자)가 각각 납입한다고 보기 때문이다. 다만 B가 소득이나 재산이 전혀 없어 잔금 납부 능력이 없다고 판단되면 이후 납입 금액도 증여재산가액에 포함될 수 있다.

분양권 공동 명의 후 증여재산 신고 방법에 따른 취득가 및 증여가액 차이

구분		방법 1: 분양가 기준	방법 2: 시가(분양가 + 프리미엄) 기준
취득가		A(수분양자) 취득가 : 4.5억 원 B(수분양자의 배우자) 취득가 : 4.5억 원 A + B = 9억 원	A(수분양자) 취득가 : 4.5억 원 B(수분양자의 배우자) 취득가 : 7.5억 원 A + B = 12억 원
증여가액	배우자 잔금납부 능력 有	9억 × 20%[11] = 1.8억 원	(9억 × 20% + 6억) × 50% = 3.9억 원
	배우자 잔금납부 능력 無	9억 × 50%[12] = 4.5억 원	(9억 + 6억) × 50% = 7.5억 원

결론적으로 배우자가 잔금 납부 능력이 있다면 증여재산가액은 3.9억 원이 되고 없다면 7.5억 원이 된다. 전자의 경우 증여

---

11 계약금 20% 납입 가정
12 계약금 20% + 중도금 및 잔금 80%

세가 발생하지 않지만, 후자의 경우 증여세가 발생한다. 따라서 배우자의 잔금 납부 능력이나 소득 증빙이 불확실하다고 판단되면 납부할 증여세와 양도소득세 절세분을 비교하여 의사결정해야 한다.

프리미엄 반영은 어떻게 하나요?

위 내용을 정리해 보자. 결국 분양권 공동 명의 후 증여 신고를 하면서 프리미엄을 취득가에 반영하는 것이 핵심이다. 단지 내 분양권 전매 사례가 있다면 이를 기준으로 프리미엄을 계산해 신고할 수 있다. 만약 전매 제한 단지 등의 사유로 전매 사례가 없다면 감정평가사의 도움을 받아야 한다. 「상속세 및 증여세법」 등 세법 규정에 따라 감정평가사의 감정평가는 시가로 인정해 주기 때문이다.

감정평가사는 전매 제한 단지라 하더라도 인근 신축 아파트의 시세 등을 감안한 분양권 프리미엄을 반영하여 감정평가할 수 있다. 그리고 이는 「상속세 및 증여세법」상 시가로 인정된다.

분양권 당첨이 되었다면 기쁨에서 그치지 말고 공동 명의와 프리미엄 반영을 통해 미리 절세를 대비하자. 아는 만큼 절세가 보인다.

4장을 마치며 ─────────────────────
부동산은 누구에게나 중요하다

　　금융자산을 주로 다루는 금융인에게 부동산 자산은 다소 생소할 수 있다. 하지만 고객의 관심이 부동산에 집중되어 있다면 금융자산에 대한 니즈 환기를 아무리 잘하더라도 상담이 쉽지 않다. 따라서 어느 정도 지식이 필요하다. 깊이 있게 상담할 수준은 아니더라도 부동산을 향한 고객의 관심에 응대할 수준은 되어야 한다.

　　금융 상품과 부동산은 보완재보다는 대체재 성격이 강하다. 이론상으로는 부동산과 금융 상품에 모두 투자하는 것이 더 합리적인 의사결정이지만 현실은 그렇지 않다. 상담을 해 보면 성향에 따라 한쪽으로 치우치는 경우가 많다. 부동산을 선호하는 고객은 금융 상품에 관심이 없는 편이다. 특히 장기 금융 상품이라면 더 부담을 느낀다. FP 관점에서 이런 성향의 고객을 만나면 어떻게 상담을 준비해야 할까?

　　고객 자산관리 과정에서 부동산을 무시하고 금융 상품만으로 재무설계를 할 수는 없다. 최근의 부동산 상승장을 경험한 이에게 부동산을 무시한 채 재무설계를 한다면 상담이 제대로 진행될 수 있을까? 상담은 고객의 관점에서 출발해야 한다.

　　진정으로 고객의 재무설계를 하고 싶다면 부동산이 선택이 아니라 필수인 시대다. 아직 자산을 모으고 있고 내 집 마련을 준비 중인 젊은 고객이라면 아파트 청약과 대출을 중심으로 부동산 자산관리를 시작해야 한다. 청약에 관한 정보는 자세히 다루지 않았지만, 이번 정부의 부동산 대책으로 청약 제도가 실수요자 중심으로 많이 개편되었다. 아직 내 집 마련을 하지 못한 실수요자라면 청약 기회를 노려야 한다. 청약은 항상 좋은 전략이었고 앞으로도 그럴 것이다.

반면 재산이 어느 정도 형성된 자산가 고객이라면 부동산 세금을 중심으로 점검해 줘야 한다. 더불어 주택 외에 꼬마빌딩, 상가 등 다양한 부동산 시장 정보를 제공할 필요가 있다. 이번 정부의 부동산 대책에 따라 고가 다주택자의 세 부담은 급증하고 있다. 만약 고가 다주택자라면 보유세 부담은 재무설계와 부동산 포트폴리오 관리의 주요 이슈다. 그리고 처분이나 증여를 결정한다면 대체 투자처의 특징과 상세 정보를 잘 알려 주는 것이 고객에게 필요한 서비스다.

보험 영업시장은 지속적으로 어려워지고 있다. 고객들은 과거에 비해 더 많은 정보를 알고 있으며 보험 상품을 비교해 주는 수많은 온라인 사이트도 있다. 심지어 보험 영업 수당을 나보다 잘 아는 고객을 만날 때도 있다. 그리고 온라인 다이렉트 보험 시장과도 경쟁해야 한다. 이런 상황에서 예전처럼 단순히 만나서 보험 상품을 친절하게 소개하는 것만으로 고객을 만족시킬 수 있을까?

다른 FP와 차별화된 나만의 무언가를 만들어야 한다. 그 무언가를 '부동산'으로 만드는 전략은 분명 강력해 보인다. 만약 다른 FP와의 차별점을 만드는 테마가 부동산이라면 이 책의 내용이 조금이나마 도움이 되었기를 바란다.

5

VIP
마켓
트렌드

2020 ─────────────────

권인규

2021

2020년 돌아보기

: CEO 플랜의 종말, 다시 뜨는 종신보험

1. 가업승계의 대안, M&A에 대한 관심은 높아진다

이처럼 가업상속공제가 외형적으로는 확대되어 왔지만, 요건과 사후관리는 변동이 심했다. 완화되기도 하고 강화되기도 하는 등 사회 분위기에 따라 방향성이 일정치 않았다. 그렇다 보니 많은 중소기업 경영자가 불만을 토로하면서 정부의 가업승계지원제도 외에 다른 대안을 모색하기도 한다.

첫째, 청산하는 방법이다. 이 경우에는 법인의 이익잉여금을 주주들에게 배당할 때 15.4%~46.2%의 배당소득세를 부담해야 한다.

둘째, 공익법인을 설립하는 방안이다. 법인 주식은 지분의 5%까지만 세금 없이 공익법인에 상속할 수 있다. 공익법인 재산은 기본적으로 국가 재산이므로 사적 소유가 불가능하다.

셋째, 자체 사전 증여 방법이다. 가업상속지원제도를 활용하지 않고 일반적인 증여 방법을 활용해 10년 단위로 계획적인 증여를 한다. 한편으로는 상속세 납부 재원도 준비해 가는 방법이다. 사전 증여를 활용하는 것도 현실적으로 좋은 방안이 될 수 있다.

마지막으로 제3자에게 매각하는 방안이 있는데 공개적으로 매수자를 찾기가 쉽지 않다는 단점이 있다. 특히 국내 M&A 시장에서 제 가격을 받고 매각하기는 더욱 어렵다. 중소기업 법인을 매각하면 주식 양도에 22%의 세금이 부과되며 2020년부터 과세표준 3억 원 초과분은 27.5%의 세금을 내야 한다.

최근 들어 가업승계 시에 상속세 부담이 커지면서 세제 지원을 기대하던 경영자들이 계획을 서서히 접고 있다. 대신 일반적인 증여 방법과 상속세 재원 마련을 장기적으로 준비하는 분위기다. 다른 한편으로는 마땅한 매각처를 물색하는 경우도 늘고 있다. 내가 아는 여러 비상장 중소기업 CEO도 최근 기업을 매각했거나 진행 중이다.

얼마 전 법인을 매각한 50대 법인 CEO는 "고생해서 일군 사업을 물려주면서 재산의 절반을 세금으로 내느니 적당한 매수자가 있을 때 얼른 팔고 그 돈으로 부동산이라도 사서 주는 편이 훨씬 낫다고 판단했다."라고 이야기했다.

—『금융 영업 트렌드 2020』제4장 VIP 마켓 트렌드
'가업상속공제보다 매각이 속 편해' 274~276쪽

가업상속공제란 10년 이상 경영한 중소기업 및 중견기업을 상속받을 때 가업주식가액의 일정액을 상속세 과세가액에서 공제해 주는 제도다. 2020년 10월 현재 3년 평균 매출액이 3천억 원 미만인 중견기업까지 적용한다. 지난 2011년에는 사후관리 요건으로 고용유지 조건이 추가되기도 했다.

가업상속공제 제도는 1997년에 처음 도입되었다. 당시 공제 한도는 1억 원이었으나 2008년 30억 원, 2009년 100억 원, 2012년 300억 원, 2014년 500억 원으로 공제액이 계속 늘어나 현재에 이르렀다. 처음 제도가 도입된 이후 적용 대상과 공제 규모가 크게 늘었다. 하지만 혜택을 받기 위해 지켜야 하는 조건도 까다롭다. 7년 동안 고용 인원을 100% 유지해야 하고 기업 자산의 20% 이상을 처분할 수 없다.

이에 중소기업 경영자들은 불만이 많다. 기업이 언제까지 존속할지 확신할 수 없는 상황에서 무리한 조건이라는 항변이다. 경제 환경이 급변하는 현실에 맞춰 기준 완화를 요구한다. 실제로 가업상속공제의 연간 이용 건수와 금액은 미비한 수준이다. 2016년 76건에 3,184억 원, 2017년 91건에 2,226억 원, 2018년 103건에 2,344억 원[1]에 불과하다.

가업상속과 관련해서는 최근에 일본 사례가 자주 언급된다. 우리나라 경영자 단체들은 일본을 예로 들며 실질적인 공제

---

1 2019 국세통계연보

수준을 확대하자고 건의한다. 일본 정부는 중소기업 가업승계를 장려하기 위해 상속세와 증여세를 전액 유예하거나 면제하는 '특례사업 승계제도'를 도입했다. 이후 2년 만에 신청 건수가 연간 3,815건으로 10배 급증했다고 한다.[2]

하지만 경영자를 포함해 다양한 이해 관계자의 사회적 합의가 이루어지지 않은 상황에서 당장 제도를 획기적으로 변경하기는 어려워 보인다. 이에 사전 증여도 하고 생명보험에도 가입해 상속세 재원을 마련하는 경영자가 늘고 있다.

다른 한편으로는 매각에 대한 관심이 높아지고 있다. 하나금융의 '2020 Korean Wealth Report'[3]에 따르면 우리나라 부자 중 42%가 아직 가업승계 여부를 결정하지 못했다. 그중 약 40%는 사업 전망 불투명이나 자녀가 원치 않는다는 이유로 가업승계에 부정적이다. 특히 2020년 발생한 코로나19로 업계 생태계가 변하고 구조조정 필요성까지 겹치면서 M&A 시장도 점점 확대되는 분위기다.

금융권에서도 후계자가 없거나 높은 상속세로 출구전략을 찾는 중소기업을 대상으로 M&A 지원사업을 확대하려는 움직

---

2 상속세 완화하자…일본 가업승계 10배 늘었다」, 한국경제, 2020. 05. 21.
3 하나금융경영연구소, 2020년 4월 발간(2019년 12월 중순부터 약 1개월에 걸쳐 하나은행 PB 서비스를 이용하는 금융자산 10억 원 이상의 부자를 대상으로 시행)

임이 있다.[4] 매수자와 매도자를 연결시켜 주면서 양측이 만족할 만한 적정 매각가를 산출할 수 있도록 외부 회계법인과 연계하는 방안이나 엑시트 사모펀드EXIT PEF를 통한 지원도 활성화될 전망이다. 중소기업 M&A는 경영자의 고령화, 경제 환경의 급변, 더딘 상속세제 개편 등과 맞물리면서 앞으로도 지속적인 관심사가 될 전망이다.

2. CEO 플랜의 종말, 이제는 전문컨설팅이 대세

하지만 정부가 고소득자에게 과세를 강화하면서 임원의 퇴직소득 한도 규정이 생겼다. 2012년부터는 3배수까지만 퇴직소득으로 인정하고 초과분은 근로소득으로 과세하고 있다. 또한 2014년 말 세법을 개정하여 정률공제를 2016년부터 단계적으로 폐지하고 근로소득세 계산과 유사한 금액별 차등공제를 도입하여 세 부담이 증가했다.

퇴직금 지급 배수를 3배수에서 2배수로 축소하는 세법 개정안은 지금까지의 방향성과 맥락이 같다고 볼 수 있다. 만약 연말에 개정안이 국회에서 확정되면 퇴직금의 세 부담이 좀 더 커진다. 이는 정관 변경을 통한 보험 상품 판매, 소위 'CEO 플랜'에도

---

4 「기업銀 가업승계 부담 중기에 M&A 지원」, 헤럴드경제, 2020. 07. 13.

영향을 끼칠 수 있다.

다만 이러한 변경에도 불구하고 퇴직소득의 세 부담이 근로소득보다 높아지지는 않는다. 법인세 측면에서도 정관상 규정된 임원 퇴직금은 전액 손비처리가 되기 때문에 법인 CEO에게는 메리트가 다소 줄어들 뿐이다. 퇴직금의 이점은 여전하다고 보는 것이 타당하다.

하지만 상품을 제안해야 하는 FP 입장에서는 고객에게 근로소득 대비 퇴직금의 메리트를 설명해도 종전보다 임팩트가 약할 수밖에 없다. 따라서 단순히 CEO 플랜만 가지고 영업을 하기에는 많은 어려움이 예상된다. 이제는 단순한 퇴직금 재원 마련으로 접근하는 대신 FP 본인의 전문성을 키워서 다가서야 한다. 배당 플랜, 상속·증여 설계, 가업승계 플랜 등 다양한 영역의 컨설팅 능력을 갖춰야 한다.

전문지식과 깊이 있는 상담 능력으로 무장하지 않으면 점점 더 VIP 시장에서 살아남기 힘들 것이다. 다만 모든 것을 FP 혼자 할 필요는 없다. 협업이라는 좋은 수단이 있기 때문이다. 회계사, 세무사, 법무사, 노무사 등과 함께 일하는 FP가 느는 이유다. 2020년에는 협업을 통해 시장을 공략하는 현상이 더욱 두드러질 전망이다.

— 『금융 영업 트렌드 2020』 제4장 VIP 마켓 트렌드
'CEO 플랜의 종말' 283~284쪽

법인 CEO가 법인에서 받을 수 있는 소득은 급여, 상여, 배당, 퇴직금이다. 급여, 상여, 배당은 종합소득에 포함되어 과세된다. 그래서 금액이 커지면 세금은 훨씬 빠른 속도로 증가한다. 이에 비해 퇴직금은 다른 소득과 합산되지 않고 별도로 과세되어 상대적으로 세 부담이 적다.

종전 세법에서는 총급여액의 30%(3배수)에 근속연수를 곱한 금액을 퇴직소득으로 인정해 주었다. 하지만 2020년 1월 1일 이후 근무분부터는 20%(2배수)만큼만 인정해 준다.

예를 들어 연간 총급여액이 3억 원이고 20년 근속 후 2029년 말에 퇴직하는 CEO가 있다. 퇴직금은 3억 원 × 30% × 20년 = 18억 원이 된다. 그럼 퇴직소득세는 얼마가 될까?

종전 세법대로 계산하면 퇴직소득세는 약 4.36억 원으로 실효세율은 24.2% 정도다. 그런데 2020년 1월 1일부터 바뀐 세법에 따라 퇴직금 18억 원 중 퇴직소득으로 인정되는 금액은 15억 원이며 퇴직소득세 3.46억 원이 과세된다. 그리고 나머지 3억 원은 근로소득세로 과세된다. 세율 44%(과표 3~5억 원 구간, 지방소득세 포함)로 계산하면 근로소득세는 1.32억 원이 된다. 따라서 퇴직금 18억 원의 퇴직소득세와 근로소득세를 합한 금액은 약 4.78억 원이다. 실효세율은 26.6% 정도이며 세법 개정 전보다 약 4,200만 원 정도 세금이 많아진다.

2019. 12. 31. 이전 세법에 따른 퇴직금 세 부담

단위: 천 원

계산내용	금액
퇴직소득(한도 내 금액)	1,800,000
(−) 근속연수공제	12,000
(=) 환산급여[(퇴직소득 − 근속연수공제) × 12배 / 근속연수]	1,072,800
(−) 환산급여별 공제	422,180
(=) 퇴직소득 과세표준	650,620
(×) 세율	6~42%
(=) 환산 산출세액(과세표준 × 세율)	237,860
퇴직소득 산출세액(환산 산출세액 × 근속연수 / 12배)	396,434
(+) 지방소득세	39,643
(=) 세 부담액 합계	436,077

2020. 1. 1. 개정 세법에 따른 퇴직금 세 부담

계산내용	금액
퇴직소득(한도 내 금액)	1,500,000
(−) 근속연수공제	12,000
(=) 환산급여[(퇴직소득 − 근속연수공제) × 12배 / 근속연수]	892,800
(−) 환산급여별 공제	359,180
(=) 퇴직소득 과세표준	533,620
(×) 세율	6~42%
(=) 환산 산출세액(과세표준 × 세율)	188,720
퇴직소득 산출세액(환산 산출세액 × 근속연수 / 12배)	314,534
(+) 지방소득세	31,453
(=) 세 부담액 합계	345,987

계산내용	금액
근로소득(한도 초과 금액)	300,000
(×) 소득세율(지방소득세율 포함)	44.00%
(=) 근로소득세(지방소득세 포함)*	132,000

* 분석 편의상 근로소득공제는 적용하지 않음

퇴직소득세 + 근로소득세	477,987

퇴직금은 법인 CEO에게도 중요한 사항이지만, 금융 영업을 하는 FP에게도 매우 중요한 테마다. 법인 명의로 보험에 가입해 CEO 퇴직 시 퇴직금 명목으로 받을 수 있도록 설계하는 경우가 많기 때문이다. 그래서 세법상 퇴직소득 범위가 축소된 점은 분명 아쉬운 대목이다. 하지만 여전히 퇴직금은 세제상 근로소득보다 유리하다. CEO 입장에서는 소득설계 시 퇴직금을 적극 활용해야 하는 이유가 여전히 충분하다.

최근 법인 CEO들을 만나 봐도 큰 기류 변화는 보이지 않는다. 단순히 퇴직금에 부과되는 세금이 전부가 아니다. 멀리 보면 상속세까지 생각해야 한다. CEO들도 이를 점차 인식하는 분위기다. 부(富)의 수준이 높아지면서 단순히 CEO 본인의 문제가 아니라 세대를 이어 발생하는 세금 이슈가 더 중요함을 깨달았기 때문이다.

예전에는 퇴직금의 세제상 메리트만 설명해도 CEO에게 큰 임팩트를 줄 수 있었다. 다만 이제는 퇴직금만 강조해서는 보험 영업이 어려워진 환경이다. 따라서 많은 FP가 배당, 급여 인상, 유상감자, 이익소각 활용 등 한 차원 높은 컨설팅을 준비하고 있다.

세법은 매년 바뀐다. 때로는 납세자에게 유리하게 변경되기도 하지만, 불리하게 개정되는 경우가 더 많다. 컨설팅도 고정되어 있어서는 곤란하다. 트렌드에 맞게 적절한 컨설팅 방안을 계속 모색해야 한다. 물론 혼자 고민하기보다는 전문가와 협업을 통해 시너지를 내야 변화하는 환경에 더 빠르게 대응할 수 있다.

3. 부부가 함께 보유하는 똘똘한 1주택, 이제는 선택 아닌 필수

2017년 '8.3 부동산 대책', 2018년 '9.13 부동산 대책'을 통해 대출 규제와 세제 강화를 시행했지만, 주택을 향한 관심은 여전하다. 다만, 현재 상황에서 다주택 보유는 세제상 이점이 거의 없다. 따라서 좋은 1주택을 고르는 방법에 더욱 관심이 집중될 전망이다. 예를 들어 조정대상지역인 서울에 보유한 10억 원짜리 주택 2채 중 1채를 양도하면 누진세율에 10%p를 더한 중과세율을 부담해야 한다. 장기보유특별공제[5]도 받을 수 없어서 세금은 더 많아진다. 그리고 종합부동산세를 계산할 때도 주택가액에서 6억 원만 공제받을 수 있다.

이에 비해 20억 원짜리 주택 1채만 소유하고 있다면 9억 원 초과분의 양도세만 내면 된다. 양도세 계산 시 장기보유특별공제를 최대 80%까지 받을 수 있어서 실제 세 부담은 더욱 낮아진다. 또한 종합부동산세 계산 시에는 9억 원을 공제받을 수 있다. 주택의 재산가치는 똑같지만 2주택보다 1주택의 세금 부담이 확실히 적다. 특히 양도세 차이가 매우 크다.

(중략)

1주택을 부부가 공동 소유하면 절세가 더 가능해진다. 종합부동산세는 부부가 각각 6억 원씩 공제받을 수 있으니 총 12억 원이 공제된다. 혼자 보유했을 때 9억 원을 공제해 주는데 이에 비해 3억 원을 더 공제받는다. 양도소득세 부담도 줄어든다. 부부 각자의 양도차익에만 세금이 부과되기 때문에 더 낮은 세율 적용이 가능하다. 또한 양도소득 기본공제 250만 원도 각자 받을 수 있어서 세금은 더 줄어든다.

—『금융 영업 트렌드 2020』 제4장 VIP 마켓 트렌드
'부부가 함께 보유하는 똘똘한 1주택' 285~288쪽

---

5 다주택자는 조정대상지역의 주택을 양도할 때 장기보유특별공제를 받을 수 없다. 그 외 지역의 주택을 양도할 때는 3년 이상 보유 시 최저 6%에서 15년 이상 보유 시 최대 30%까지 장기보유특별공제를 받을 수 있다. 1주택자는 3년 이상 보유 시 최저 12%에서 10년 이상 보유 시 최대 80%(10년 이상 보유 & 거주 시)의 장기보유특별공제를 받을 수 있다.

2020년에도 주택 시장을 향한 관심과 열기는 계속되었다. 2020년 6월 매매 거래량은 주택 가격이 급등했던 2006년 11월 이후 최고치를 기록했다.[6] 코로나19 영향으로 감소세를 보였다가 다시 주택 가격이 회복되고 소위 '패닉 바잉Panic Buying'[7]현상이 일어나면서 큰 폭으로 증가했다.

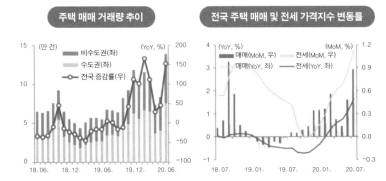

출처: 「부동산 시장 리뷰 2020년 8호」, KB국민은행

주택 시장이 좀처럼 진정될 기미가 보이지 않자 정부는 계속해서 부동산 정책을 꺼내 들었다. 전세자금대출 규제, 분양권 전매금지 등과 함께 강력한 세금 정책이 추가되었다.

주택에는 취득, 보유, 양도 단계에 각각 세금이 부과된다. 추

---

6 「부동산 시장 리뷰 2020년 8호」, KB국민은행
7 가격 상승, 물량 소진 등에 대한 불안으로 가격에 관계없이 생필품이나 주식, 부동산 등을 사들이는 현상을 가리키는 말이다. 문화체육관광부는 2020년 7월 패닉 바잉을 대체할 쉬운 우리말로 '공황 구매'를 선정했다.(출처: 네이버 지식백과 시사상식사전)

가된 규제책은 다주택자 취득세율 인상, 종합부동산세율 인상, 다주택자 양도소득세 중과세율 인상, 단기 양도 시 양도소득세율 인상, 일시적 2주택자 비과세요건 강화, 법인 보유 주택의 과세 강화 등이다. 주택 시장을 잡기 위해 정부는 모든 단계에 걸쳐 다양한 세금 규제를 추가했다.[8]

현 정부의 정책 의지는 명확하다. 다주택자가 주택을 팔지 않고서는 버티지 못하게 하려는 의도다. 다만 1주택자를 포함해 전반적으로 주택의 세 부담이 높아지는 경향도 있다. 종부세의 경우 1주택이라도 공시가격 10억 원을 훨씬 상회하는 주택은 전보다 세 부담이 커진다.

2020년을 지나 2021년에도 주택의 세 부담이 높아지는 상황에서 투기 수요는 급격히 위축될 것으로 예상된다. 아울러 똘똘한 1주택으로의 쏠림 현상도 심화될 전망이다.

4. 베이비부머 세대의 이민 러시, 잠시 쉬어 가다

최근 이민자들이 가장 많이 찾는 국가는 미국, 캐나다, 호주다. 영어를 쓰고 선진국이란 공통점 외에도 한국에 비해 상속·

---

[8] 세금 규제에 관한 보다 자세한 내용은 〈5장 2부 2. 다주택자를 위한 비상구는 없다〉를 참조할 것

증여세가 낮거나 아예 없다는 특징이 있다. 미국은 2018년에 상속·증여세 면제 한도를 높였고 캐나다와 호주는 상속세가 없다.

최근 이민 트렌드는 단순한 관심에서 멈추지 않고 실제 실행에 옮기는 사람이 증가한다는 점이다. 또 하나 주목할 사실이 있다. 최근에 이민을 주도하는 베이비붐 세대가 대거 은퇴하고 있다는 점이다. 베이비부머는 건국 이래 가장 많은 부를 축적한 세대다. 반면 이들의 자녀인 밀레니얼 세대(1980년대 초반~1990년대 중반 태생)는 치열한 경쟁에도 불구하고 극심한 취업난에 허덕인다. 인류 역사상 최초로 '부모보다 가난한 세대'가 될 것이라는 말도 있다.

(중략)

과거엔 취업이나 자녀 교육을 위해 이민을 떠났다면 요즘은 불안한 미래 때문에 언제든 한국을 떠날 준비를 하는 것으로 보인다. 다른 나라에서 사는 일이 쉽지 않겠지만, 경제 상황도 안 좋고 정치 상황도 복잡하여 과거보다 많은 사람이 이민을 생각한다. 특히 최근 들어 해외 직접 투자가 성행하다 보니 덩달아 이민까지 사고가 확장되는 듯하다.

최근 원화 가치가 하락하고 주식 시장도 답보 상태를 벗어나지 못한다. 실물경제가 안 좋으니 자산을 불리는 일은 고사하고 모아 둔 재산의 가치를 유지하기도 어렵다는 심리가 자산가 사이에 팽배하다. 그런데도 한국을 꼭 고집해야 할까?

우리나라에서 해외로 나가는 이민자는 2011년 이후 감소세를 보이다가 2017년 1,443명으로 저점을 찍은 이후 다시 증가세로 돌아섰다. 공교롭게도 문제인 정부가 들어선 시점부터 늘기 시작했다. 2018년에 6,330명, 2019년에는 4,037명이 이민을 간 것으로 파악된다. 예전에는 교육이나 직업을 찾기 위해 해외로 나갔다면 최근에는 어느 정도 부를 축적한 이들이 한국을 떠난다. 이를 투자 이민이라고 하는데 상속세에 대비하기 위한 목적도 있어 보인다. 우리나라 사람이 가장 많이 이민을 가는 미국은 작년 11월부터 투자 이민 한도를 기존 50만 불에서 90만 불로 올렸다. 막차를 타기 위한 투자 이민 행렬도 증가세에 한몫을 했다.

다만 이 추세는 2020년에 코로나19로 상당히 감소했을 것이다. 미국 트럼프 대통령은 2020년 4월에 코로나19 확산 차단을 이유로 '이민 일시 중단' 행정명령에 서명했다. 당분간은 국가 간 이동이 자유롭지 못할 가능성이 크기 때문에 이민에 대한 사람들의 인식 또한 달라질 수 있다. 자산가 입장에서는 막대한 상속세를 피해 이민을 고려했는데 코로나19가 이동의 자유를 제한했다. 최근 이민 러시는 멈추었지만 이후에 다시 살아날 수도 있다. 향후 코로나19가 종식되고 나면 다시 이민 행렬이 이어질까? 흥미롭게 지켜볼 부분이다.

해외 이주 신고자 현황[9]

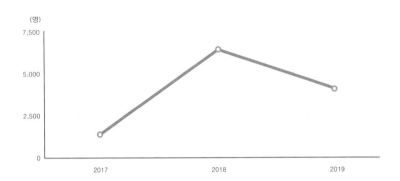

국가별 이민자 수

단위: 명

연도	2017	2018	2019
합계	1,443	6,330	4,037
미국	909	3,223	1,868
캐나다	209	1,092	789
호주	105	547	374
뉴질랜드	41	255	154
기타	179	1,213	852

---

9 e나라지표, 외교부 「해외 이주 신고」(2017년 12월 21일부터 연고 이주자, 무연고 이주자 외에 현지 이주자도 신고하도록 해외 이주법이 개정되었다. 따라서 2017년 통계부터는 연고 이주, 무연고 이주, 현지 이주를 모두 합친 수치이다)

5. 저금리 시대, 종신보험의 재발견

〈저축성보험 차익의 비과세 요건〉

1. 납입 보험료 150만 원 이하의 월 적립식 보험

2. 종신연금형 보험으로서 일정 요건을 충족하는 보험

3. 기타 납입액 1억 원까지의 저축성보험

한편 소득세법에서는 위와는 별도로 피보험자의 사망·질병·부상 그 밖의 신체상 상해로 인하여 받거나 자산의 멸실 또는 손괴로 인하여 받는 보험금에는 과세하지 않는다는 조항이 있다. 여기에 해당하는 상품은 각종 상해나 암 같은 주요 질병을 보장하는 보험, 그리고 사망을 원인으로 보험금을 지급하는 정기보험, 종신보험 등이다.

또한 순수하게 사망을 보장하는 종신보험이나 정기보험은 월 적립식 비과세 납입 금액 한도인 월 150만 원 규정에 영향을 받지 않는다. 예를 들어 종신보험을 월 500만 원씩 10년 동안 총 6억 원을 납입한 후 해지했을 때 해지 환급금이 납입 보험료보다 큰 경우 발생하는 보험차익에는 과세하지 않는다.

(중략)

이자소득세나 배당소득세는 최저 15.4%가 부과되며 연간 2천만 원을 초과하여 종합과세하면 최고세율 46.2%가 적용된다. 상속세 납부 재원을 마련하려고 또 다른 세금을 내야만 한다.

요즘처럼 부동산 경기도 고점에 다다르고, 주식 시장 전망은 불확실하며, 저금리 기조가 이어지는 상황에서 종신보험은 분명 매력적인 상품이다. 상속세를 피할 수 없는 자산가 고객에게 종신보험의 절세효과는 크게 어필할 만한 장점이다.

—『금융 영업 트렌드 2020』제4장 VIP 마켓 트렌드
'저금리 시대, 종신보험의 재발견' 302~305쪽

금융 상품의 세제 혜택은 계속해서 축소되고 있다. 지난 7월 정부(기획재정부)의 「2020 세법 개정안」에는 2023년부터 상장주식의 양도차익에 금융투자소득이라는 명목으로 과세하겠다는 내용이 담겨 있다. 또한 보건복지부에서는 금융소득 1천만 원이 넘는 금액에 2020년 11월부터 건강보험료를 추가 부과하겠다는 내용도 발표했다. 종전에는 금융소득이 2천만 원이 넘어야만 건강보험료 산정 시 소득에 반영되었다. 대상자가 확대된 것이다.

이처럼 금융 상품의 조세 부담은 지속적으로 늘어나는 추세다. 세 부담이 느는 만큼 건강보험료 같은 준조세도 당연히 함께 증가한다. 어쩌면 머지않은 미래에는 종신보험의 보험차익에도 소득세를 부과하지 않을까? 다행히 아직까지 이러한 움직임은 보이지 않고 있다. 따라서 종신보험은 자산가에게 위험 보장이

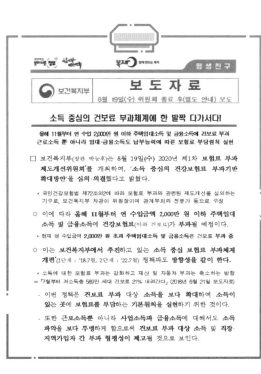

라는 본질적인 기능에 더해 절세까지 할 수 있는 몇 안 되는 수
단이다.

　게다가 저금리가 메가 트렌드로 자리 잡으면서[10] 현재 시중

10　최근 경제 상황은 그간 현대경제학에서 신봉되었던 필립스 곡선(Phillips curve)이 작동
하지 않고 있다. 필립스 곡선이란 실업률과 임금 상승률(물가 상승률)이 역의 관계에 있
다는 이론이다. 경기가 나빠져 실업률이 오르면 물가가 하락한다. 반대로 경기가 과열되
면 실업률은 떨어지고 물가가 상승한다. 각국 중앙은행은 금리 정책으로 물가를 안정시
키는 데 가장 중점을 두어 왔다. 그런데 최근에는 실업률이 하락해노 더 이상 금리가 오
르지 않는 현상이 나타나고 있다. 상당 기간 연 2%대 물가 상승률에 도달하기도 어려울
것으로 보인다. 중앙은행이 경기 부양을 위해 저금리 정책을 이어 가면서 시중 금리도
낮은 수준에 계속 머물 전망이다.

정기예금 금리는 1%도 되지 않는다. 물가 상승률을 고려하면 사실상 마이너스 금리다. 그렇다고 정기예금을 대체할 만한 안정적인 금융 상품을 찾기도 어렵다. 저금리가 고착된 환경에서 상속세 재원 마련과 보험차익 비과세라는 두 마리 토끼를 잡을 수 있는 장점 때문에 종신보험은 앞으로도 꾸준한 관심을 받을 것으로 예상된다.

정기예금 금리 추이[11]

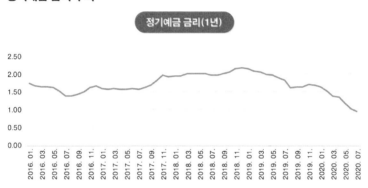

---

11 국가통계포털(https://kosis.kr)

2부

2021년 미리 보기
: 뻑뻑해지는 세금 정책, 출구는 어디인가?

1. 초과배당의 종말, 대안은?

법인 CEO에게 초과배당은 최근 몇 년간 매력적인 소득설계 방법이었다. 논란의 여지가 있었지만, 2016년부터 초과배당의 과세 이슈가 명확하게 정리되었기 때문이다. 초과배당은 균등배당에 대치되는 개념이다. 균등배당이란 말 그대로 법인의 주주가 본인 지분율대로 배당받는 방식이다. 반면 초과배당은 지분율이 높은 주주가 배당을 적게 받거나 포기하여 지분율이 적은 주주에게 더 많은 배당금을 지급하는 방식이다.

예를 들어 주주 A와 B(A의 자녀)로 구성된 법인이 있다고 하자. A의 지분율이 90%, B의 지분율이 10%라면 1억 원을 배당할 때 A는 9천만 원, B는 1천만 원을 받는 방식이 균등배당이다. 그런데 A는 배당을 받지 않고 B가 1억 원을 배당받을 수도 있다. 이를 초과배당이라고 한다. B는 본인 지분율 상당액보다 9천만 원을 더 받은 셈이다. 세법에서는 이를 당연히 증여로 본다. 다만 배당받을 때 부담하는 배당소득세 상당액이 증여세 부담액보다 크다면 배당소득세만 과세한다.

이에 따라 주로 가족으로 구성된 중소기업에서는 증여세가 과세되지 않는 범위 내의 초과배당이 하나의 트렌드로 자리 잡은 상황이었다. 주주인 자녀에게 법인 자금을 활용해 초과배당을 하면 증여세 없는 부의 이전이 가능했기 때문이다.

특히 보험 상품과 결합해 법인에서 보험에 가입한 후 납입이 완료되면 자녀에게 보험계약(보통 종신보험을 초과배당 및 현물배당)을 배당하여 상속세 재원을 마련하는 방안이 유행했다. 이렇게 법인의 보험계약을 배당하면 자녀는 배당소득세를 부담한다. 대신 나중에 피보험자(보통 CEO인 부모) 사망 시 받는 보험금에는 소득세와 상속세가 비과세된다. 상속세 재원 마련도 준비하면서 비과세 혜택까지 보니 중소기업 CEO에게는 최고의 솔루션이었다.

그런데 2020년 7월 발표된 세법 개정안에는 2021년부터 초과배당에 증여세를 과세하는 내용이 담겨 있다. 배당소득세 부담액과 관계없이 무조건 증여세를 과세하겠다는 입장이다. 이에 따라 2020년 하반기에는 중소기업 CEO 뿐 아니라 이들을 컨설팅하는 FP도 바빠졌다. 최근 법인 컨설팅 트렌드는 중소기업 CEO의 자녀에게 주식을 일부 증여한 후 초과배당을 하도록 권유하는 것이다. 그런데 2021년부터는 초과배당의 큰 절세효과가 없어지게 되었다. 그동안 안내했던 초과배당의 이점이 사라진다면 대안을 찾아야 하는데 마땅한 솔루션이 보이지 않는다. 초과배당만큼 절세효과가 크면서 보험 상품까지 제안할 수 있는 훌륭한 대안이 마땅치 않기 때문이다.

2021년에 초과배당을 대체할 수 있는 해결책은 뭐가 있을까? 전에 없던 새로운 대안을 찾기는 어렵다. 아니, 거의 불가능하다고 할 수 있다. 정부는 절세가 가능한 부분에 지속적으로 과세를 강화해 왔기 때문이다. 임원 퇴직금의 과세를 강화했고 2020년 세법 개정안에서는 초과배당의 증여세 과세를 입법했다. 이 외에도 특수관계인 주주 지분 비율이 80% 이상인 법인의 유보소득에 배당소득세를 과세하고 주택에도 전반적인 과세 강화 등을 예고했다.

그렇다면 대안은 없을까? 이럴 때는 기존 솔루션을 다시 살펴봐야 한다. 배당이라는 솔루션은 법인 CEO 소득설계의 주요 수단으로 활용되어 왔다. 소득설계 방법에는 배당 외에 급여, 상여, 퇴직금도 있고 최근에는 이익소각을 통해 법인 자금을 개인화하는 방안도 많이 활용된다.

급여를 많이 받으면 소득세와 건강보험료가 높아지는 단점이 있다. 하지만 법인 입장에서는 급여가 비용으로 처리되어 법인세도 줄고 법인의 주식평가액도 낮추는 효과가 있다. 따라서 이익이 꾸준히 나는 법인이라면 급여를 좀 더 인상하는 방안을 고려해야 한다.

상여금은 급여와 효과가 거의 비슷하다. 다만 법인의 여유 자금 상황을 봐 가면서 지급할 수 있으니 고정적으로 나가는 급여보다 덜 부담스럽다. 운영의 여유가 장점이지만 주의할 점도 있다. 월정 급여가 아닌 특별상여 형식으로 지급하는 금액은 사전에 설정된 기준이 없다면 법인세법상 손비로 인정받지 못할 가능성이 있다.

퇴직금은 예전만큼 큰 절세효과는 없지만, 건강보험료가 부과되지 않고 근로소득보다 낮은 세 부담을 진다는 점에서 여전히 유효한 수단이다. 급여나 상여는 결정 즉시 지급할 수 있지만, 퇴직금은 장기 플랜이다. 따라서 미리 계획을 세워야 한다. FP가 법인 상담을 할 때 먼저 확인해야 하는 이유다.

최근 이슈가 되는 테마는 '이익소각'이다. 이익소각이란 주주가 가진 주식을 법인이 취득하여 소각하는 것이다. 자기주식 소각이라고도 한다. 이때 법인은 자기주식 취득 대가를 주주에게 지급한다. 주주는 이를 통해 자금을 마련할 수 있다. 다만 주주는 주식의 최초 취득가액과 매각가액의 차액에 배당소득세를 부담해야 한다. 중소기업 CEO인 주주가 가진 주식은 대부분 설립 시 취득한 것이다. 이런 상황이다 보니 취득가액과 매각가액(현재 세법상 평가액)의 차이가 크면 세금이 많아진다는 단점이 있다.

그런데 여기서 다른 접근이 가능하다. 주주가 가진 주식을 배우자에게 먼저 증여한 후 곧바로 법인이 취득하는 방법이다.

배우자 증여는 10년 동안 6억 원까지 비과세되니 세금 부담 없이 꽤 많은 주식을 이전할 수 있다. 배우자에게는 매각에 따른 세금도 거의 없다. 현재 세법상 평가액으로 증여받아 단기간에 법인에 다시 넘기면 차익이 거의 발생하지 않기 때문이다. 차익이 없으니 당연히 세금도 없다. 즉, 증여세와 배당소득세 없이 자금 마련이 가능하다.

이익소각 개념도

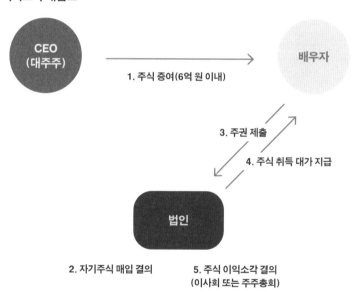

디만 2020년 세법 개정안에서는 이런 방식에 제한을 규정했다. 2023년부터는 배우자가 주식을 증여받은 후 1년 이내에 매각하면 당초 증여자가 직접 매각했을 때와 동일한 세금을 부

과한다. 배우자를 통한 우회 이익소각에 제재를 가한 셈이다. 따라서 2021년과 2022년에는 이익소각이 상대적으로 더욱 주목받을 전망이다.

이익소각 관련 세법 개정안

현행	개정안
〈신설〉	▫ 배우자로부터 증여받은 주식 등 양도 시 필요경비 계산 특례 ○ (요건) 양도일로부터 소급하여 1년 이내에 배우자에게 증여받은 주식 등을 양도 ○ (취득가액 조정) 증여자의 당초 취득가액으로 의제 ○ (증여세 필요경비 산입) 증여받은 주식 등에 대해 납부했거나 납부할 증여세 상당액이 있는 경우 필요경비 산입 ○ (비교과세) 특례를 적용하는 경우와 적용하지 않는 경우의 소득금액을 비교하여 전자가 큰 경우에만 특례 적용 〈개정 이유〉 배우자 증여를 통한 조세회피 방지 〈적용 시기〉 '23. 1. 1. 이후 발생하는 소득분부터 적용

　앞으로 법인 CEO를 대상으로 한 소득설계 컨설팅은 다소 무미건조하고 지루할 수 있다. 뭔가 임팩트 있는 테마가 보이지 않는다. 하지만 이럴 때일수록 기본에 충실한 방식을 FP의 지향점으로 삼아야 하지 않을까? 기존의 유익한 방법들을 충분히 활용하고 있는지 돌아봐야 할 시점이다. 고객의 관점에서 재검토하고 부족한 부분을 채우는 컨설팅이 필요한 때다.

2. 다주택자를 위한 비상구는 없다

정부의 주택 시장 규제는 계속 강도가 높아지고 있다. 2017년 8.2 대책, 2018년 9.13 대책, 2019년 12.16 대책에 이어 2020년에도 7.10 대책이 나왔다. 현 정부는 계속해서 세금 규제를 쏟아 내고 있다.

주택과 관련하여 2019년 12월 16일 및 2020년 7월 10일 발표된 주요 세금 규제는 다음과 같다.

'19년 12.16 대책 주요 세금 규제

항목	내용
1세대 1주택자 장기보유특별공제에 거주기간 요건 추가	(종전) 1세대 1주택자(실거래가 9억 초과*)는 거주기간과 상관없이 보유기간 기준으로 최대 80% 장기보유특별공제 적용 * 실거래가 9억 원 이하의 1세대 1주택자는 보유기간·거주기간 등 요건 충족 시 (개정) 1세대 1주택자(실거래가 9억 초과)의 장기보유특별공제율 최대 80%(10년)를 유지하되 거주기간 요건을 추가 ○ 연 8%의 공제율을 보유기간 연 4% + 거주기간 연 4%로 구분 □ (적용 시기) '21. 1. 1. 양도분부터 적용
2년 이상 거주자에 한해 1세대 1주택자 장기보유특별공제 적용(기 발표)	'18년 9.13 대책에 따라 양도하는 주택에 2년 이상 거주한 경우에만 1주택자 장기보유특별공제(최대 80%) 적용 □ (적용 시기) '20. 1. 1. 양도분부터 적용

조정대상지역 일시적 2주택자 전입요건 추가 및 중복보유 허용기한 단축	(종전) 조정대상지역 내 일시적 2주택자는 신규 주택 취득 일부터 2년 이내에 기존 주택 양도 시 1주택으로 보아 비과 세 혜택(일반지역의 일시적 2주택자 요건은 3년 이내 양도) (개정) 신규 주택 취득일부터 1년 이내에 해당 주택으로 전입하고 1년 이내에 기존 주택을 양도하는 경우에 한해 비과세 혜택(단, 신규 주택에 기존 임차인이 있는 경우 전 입의무기간을 임대차 계약 종료 시(최대 2년)까지 연장) □ (적용 시기) '19. 12. 17일(대책 발표일 다음 날)부터 새 로 취득하는 주택에 적용
등록 임대주택의 양도소득세 비과세 요건에 거주요건 추가	(종전) 조정대상지역 내 1세대 1주택은 보유기간과 거주 기간이 2년 이상인 경우 9억 원까지 비과세 혜택을 받을 수 있으나, 「소득세법」과 「민간임대주택법」에 따른 임대사 업자 등록을 한 경우 거주기간의 제한을 받지 않고 비과세 혜택을 받을 수 있음 (개정) 조정대상지역 내 등록 임대주택도 거주요건 2년을 충족하여야 1세대 1주택 비과세 혜택 □ (적용 시기) '19. 12. 17일(대책 발표일 다음 날)부터 새 로 임대 등록하는 주택에 적용

'20년 6.17 대책 주요 세금 규제

항목	내용
법인 보유 주택 종합부동산세 강화	(종전) 법인 보유 장기임대주택도 종부세 합산 배제 (개정) 법인이 '20. 6. 18. 이후 조정대상지역에 8년 장기임 대 등록하는 주택은 종부세 합산과세
법인 보유 주택 양도소득세 강화	(종전) 법인 보유 주택 양도 시: 기본 법인세율(10~25%) + 추가 세율(10%), 법인의 8년 장기임대 등록 주택은 추가 세율 배제 (개정) 법인이 '20. 6. 18. 이후 8년 장기임대 등록하는 주 택에도 양도 시 추가 세율* 적용 * 법인 주택 양도 시 추가 세율 상향 조정(10→20%) 예정 이며, 「법인세법」 개정을 통해 '21. 1. 1. 이후 양도분부터 적용 예정

'20년 7.10 대책 주요 세금 규제

1) 취득세

항목	내용
다주택자	(현행) 1~3주택자는 1~3%세율, 4주택 이상은 4% 적용 (변경) '20. 8. 12. 이후 조정지역에서 2주택 해당 취득 또는 비조정지역 3주택 해당 취득 시 8%, 조정지역 3주택 해당 취득 또는 조정지역 외 4주택 해당 취득/법인 취득/증여 취득 12%('20. 7. 10. 이전 계약 + 계약금 지급 시 제외)
일시적 2주택자	우선 1주택으로 신고 납부 후 기존 주택 1년 내 미처분 시 추징('20. 7. 10. 이전 계약 주택 제외)

2) 종합부동산세

항목	내용
다주택자	현행 0.5~2.7%에서 0.6~3%로 인상. 3주택자 & 규제 지역 2주택자: 1.2~6%(21년부터)
신탁부동산 납세의무자 변경	(다주택자 보유세 인상) 부동산 신탁 시 종부세·재산세 등 보유세 납세자를 수탁자(신탁사) → 원소유자(위탁자)로 변경(21년부터)
종부세 부담 경감	1주택 보유 고령자(60세 이상) 세액공제율(20~40%)과 장기보유공제(20~50%) 합산의 상한을 70%에서 80%로 상향 조정(21년부터)

3) 양도소득세

항목	내용
조정지역 2주택자 중과	2주택자: 기본세율 + 조정지역 10%p 중과 ⇒ '21. 6. 1. 이후 양도분부터 20%p 중과

조정지역 3주택 이상 중과	3주택자: 기본세율 + 조정지역 20%p 중과 ⇒ '21. 6. 1. 이후 양도분부터 30%p 중과
단기 양도 중과	2년 미만 단기보유 주택 양도세율: 1년 미만 현재 40% ⇒ 70%, 1~2년 보유 기본 세율 → 60%('21. 6. 1. 이후 양도분부터)
임대등록제 개편	임대등록제 개편: 단기임대(4년) 및 아파트 장기임대(8년) 폐지 신규 장기임대는 의무기간 10년으로 연장('20. 8. 18. 이후)
임대의무기간 경과 시 자동 말소	폐지되는 단기 및 아파트 장기 일반매입 임대로 등록한 기존 주택은 임대의무기간 경과 즉시 자동 등록말소('20. 8. 18. 이후)
임대사업자 관리강화	매년 등록사업자의 공적 의무* 준수 합동 점검을 정례화하고 위반사항 적발 시 행정처분** 통해 등록 임대사업 내실화 * 임대의무기간 준수, 임대료 증액 제한, 임대차 계약 신고 등 핵심 의무 중점 점검 ** 과태료 부과 및 등록 임대사업자(임대주택) 등록 말소, 세제 혜택 환수

이런 상황에서 신규 주택을 추가로 취득하기에는 큰 부담이 있다. 먼저 취득세를 8% 이상 내야 하기 때문에 초기 투자 비용이 만만치 않다. 또한 다주택이 되면 보유세인 종합부동산세 부담도 상당하다.

예시 1: 신규 주택 취득 시 세 부담

기존 1주택자가 추가로 조정지역에서 20억 원짜리 주택을 취득한 경우

▶ 주택은 단독 명의(6억 원 공제)

▶ 공시가격 현실화율 80%, 공정시장 가액비율 95% 적용

▶ 해당 주택을 5년 후 25억 원에 양도한다고 가정

1) 취득세: 20억 원 × 8.6%(지방교육세 등 부가되는 세금 포함)

 = 1.72억 원

2) 종합부동산세 등 보유세: 연간 약 7,940만 원 × 5년

 = 약 3.97억 원

3) 양도소득세: 약 1.87억 원

조정지역 2주택자 양도소득세

단위: 천 원

	금액
양도가액	2,500,000
(-) 취득가액	2,172,000
(=) 양도차익	328,000
장기보유특별공제율	0%
(-) 장기보유특별공제	–
(=) 양도소득 금액	328,000
(-) 기본공제	2,500
(=) 과세표준	325,500
(×) 세율(중과세율)	26~60%
(=) 산출세액	169,900
지방소득세 포함 산출세액	186,890

▶ TOTAL 세금 부담액: 취득세 1.72억 원 + 보유세 3.97억 원 + 양도소득세 1.87억 원
= 7.56억 원
▶ 투자 손익 = 25억 원 – 20억 원(취득가액) – 7.56억 원(보유기간 세금 합계)
= –2.56억 원(손실)

예시 2 : 1주택자 대체 취득 시 세 부담

1주택자가 40억 원짜리 주택으로 갈아타는 경우(직접 거주)

▶ 주택은 단독 명의(9억 원 공제)

▶ 공시가격 현실화율 80%, 공정시장 가액비율 95% 적용

▶ 해당 주택을 5년 후 45억 원에 양도한다고 가정

1) 취득세 = 40억 원 × 3.5% = 1.4억 원

2) 종합부동산세 등 보유세: 연간 약 3,170만 원 × 5년

= 약 1.59억 원

3) 양도소득세: 약 0.50억 원

1주택자 양도소득세

	금액
양도가액	4,500,000
(−) 취득가액	4,140,000
(=) 양도차익(9억 초과분[12])	288,000
장기보유특별공제율[13]	40%
(−) 장기보유특별공제	115,200
(=) 양도소득 금액	172,800
(−) 기본공제	2,500
(=) 과세표준	170,300
(×) 세율	6~38%
(=) 산출세액	45,314
지방소득세 포함 산출세액	49,845

▶ TOTAL 세금 부담액: 1.4억 원 + 1.59억 원 + 0.50억 원
= 약 3.49억 원
▶ 투자 손익 = 45억 원 − 40억 원(취득가액) − 3.49억 원(보유기간 세금 합계)
= 1.51억 원(이익)

보유기간		3년 ~4년	4년 ~5년	5년 ~6년	6년 ~7년	7년 ~8년	8년 ~9년	9년 ~10년	10년 ~11년
1주택자	합계	24%	32%	40%	48%	56%	64%	72%	80%
	보유	12%	16%	20%	24%	28%	32%	36%	40%
	거주	12%	16%	20%	24%	28%	32%	36%	40%

　　1주택을 유지하면 똑같이 5억 원의 시세차익이 있더라도 2주택자보다 세 부담이 훨씬 적음을 알 수 있다. 현 정부의 강도 높은 부동산 규제의 영향으로 기존 1주택자들이 똘똘한 1주택으로 갈아타려는 수요가 많아질 것이다. 9억 원 이상 고가 1주택 보유자가 주택을 양도할 때 종전에는 10년 이상 거주하면 최대 80%를 공제받았으나, 2021년부터는 10년 이상 보유 & 거주를 해야 80% 공제를 받는다. 실제 거주하지 않으면서 고가 주택을 보유만 하고 있다면 2020년이 지나가기 전에 양도하는 방안을 고려해 봐야 한다.

12　1주택자는 양도차익 중 양도가액 9억 원 초과분에만 과세하므로 과세대상 양도차익은 (45억−40억) × (45억−9억) / 45억 = 4억 원이 됨
13　1주택자의 장기보유특별공제는 3년 이상 보유 시 24%에서 10년 이상 보유 시 최대 80%까지 적용된다.(매년 8%p씩 증가) 다만 '21. 1. 1. 양도분부터 거주기간과 보유기간이 다르면 거주기간과 보유기간에 각각 공제율을 적용한다.

조정지역 다주택자는 매각과 보유의 갈림길에 서 있다. 세법 개정안에 따르면 조정지역 다주택자의 양도소득세 중과세율 인상은 2021년 6월 1일 이후 양도분부터 적용된다. 또한 6월 1일은 종합부동산세의 과세 기준일이다. 매년 6월 1일에 주택을 보유한 사람에게 과세된다는 뜻이다. 따라서 조정지역 다주택자는 내년 6월 전에 주택을 매각할지 판단해야 한다.

　　양도소득세는 어차피 팔기 전까지는 과세되지 않는다. 그런데 종합부동산세는 보유만 해도 매년 납부해야 하는 세금이다. 매년 수천만 원에서 많게는 억대의 세금을 부담하기란 웬만한 부유층에게도 쉽지 않은 일이다. 기존에는 종부세 회피를 위해 주택이 없는 자녀에게 증여를 택하는 경우도 있었다. 하지만 이제 증여에도 8% 이상의 높은 취득세율을 적용한다고 하니 그마저 편하게 선택할 수 있는 대안이 아니다.

　　종부세를 매년 부담하면서도 투자 이익을 보려면 시세가 지금보다 더 많이 오르거나 세법이 다시 종전처럼 바뀌어야 한다. 둘 다 쉬워 보이지 않는다. 2021년 상반기에 종부세 회피를 위한 매물이 쏟아져 나올지 아니면 다주택자들이 과중한 종부세를 부담하면서 버티기에 들어갈지 궁금해진다. 과연 다주택자들은 어떤 선택을 할까?

3. 투자와 절세, 미술품에서 찾아볼까?

2019년에는 DLS(금리연계 파생결합증권), DLF(파생결합펀드) 사태가 금융권의 빅뉴스 중 하나였다. 가입자의 대규모 손실로 드러난 불완전 판매 행태는 금융회사의 취약점을 그대로 보여 줬다. 손실 가능성을 충분히 알지 못한 채 가입했던 투자자들의 불만이 폭증했다. 2020년에도 사모펀드 부실에 관한 기사가 많이 나오고 있다. 사모펀드는 공모펀드에 비해 금융당국의 관리 감독이 적을 수밖에 없는데 그동안 드러나지 않던 자산운용사의 부정행위가 크게 터졌다.

이런 상품은 금융 자산가들이 주로 은행, 증권사 등의 WM센터나 PB센터를 통해 가입했다. 기존에 많이 활용하던 정기예금 이자율이 0%대까지 떨어지는 환경에서 대안으로 각광받았던 상품이다. 성격을 구분하자면 중위험 · 중수익 상품이라고 할 수 있다. 그런데 최근 사모펀드 사태로 문제점이 드러나면서 자산가의 선택지가 점점 줄어들고 있다.

2020년에는 개인의 주식 투자 열풍이 크게 불었다. 펀드 같은 간접 투자 상품에 돈을 맡기기보다는 차라리 직접 투자해 수익을 거두겠다는 이가 늘었다. 상장주식은 매매차익에 세금을 매기지도 않으니 그만큼 수익이 더 늘어나는 셈이다. 다만 주식 직접 투자는 대표적인 고위험 고수익 상품이라는 점을 기억해야 한다. 보수적인 부자들의 투자 성향에 딱 맞다고 보기는 어렵다.

2020년 세법 개정안 내용 중 또 하나 눈여겨볼 대목이 있다. 바로 미술품 등의 과세 규정이다.

서화 · 골동품 소득 구분 기준 명확화(소득법 §12, §21)

현행	개정안
□ 서화 · 골동품 양도차익 과세 ○ 소득 구분: 기타소득 * 영리를 목적으로 자기의 계산과 책임 하에 계속적 · 반복적으로 행하는 활동을 통하여 얻는 경우는 사업소득 ※ 구분 기준은 사실 판단 ○ 과세방법: 분리과세 * (양도가액 – 필요경비) × 원천징수세율 20% ○ 과세 대상 : 점당 양도가액 6,000만 원 이상인 회화 · 데생 등 미술품(생존 작가 작품 제외), 골동품(제작 후 100년 초과)	□ 소득 구분 명확화 ○ 기타소득 기준 명확화 - 계속적 · 반복적 거래도 기타소득으로 구분* * 단, 사업장을 갖추는 등 시행령으로 정하는 경우 제외(사업소득으로 과세) (좌동)

〈개정 이유〉 서화 · 골동품 소득 구분 기준 명확화
〈시행 시기〉 '21. 1. 1. 이후 양도분부터 적용

　개정안은 개인이 취득해 양도한 미술품 등의 소득을 계속 · 반복적인 경우에도 기타소득으로 보겠다는 내용이다. 현행 세법상 사업소득을 앞으로 기타소득으로 처리한다면 그만큼 세금이 줄어든다는 뜻이다. 현재는 미술품 중 사후 작가의 회화, 데생 등 그림에 한해 점당 6천만 원 이상으로 양도한 경우에만 기타소득으로 과세한다. 즉, 생존 작가의 작품이나 6천만 원 미만의 작품에는 소득세를 과세하고 있지 않다.

세법에서는 계속적, 반복적인 거래를 사업성이 있다고 간주해 사업소득으로 과세해 왔다. 따라서 고가의 미술품을 투자 목적으로 단기간에 수차례 매입해서 양도하면 사업소득으로 과세될 여지가 많았다. 사업소득은 다른 종합소득과 합산하여 과세되므로 최고 46.2%의 세율(2020년 세율 기준)이 적용될 수 있다. 이번 개정안에서는 사업장을 별도로 갖추지 않은 개인에게는 기타소득으로 분리과세[14]하여 세 부담이 높아지는 것을 방지했다. 미술품에 일종의 세제 혜택을 준 셈이다.

아직까지 국내 미술품 시장이 활성화되었다고 보기는 어렵다. 국내 미술품 거래 규모는 2017년 4,577억 원, 2018년 4,198억 원으로 4천억 원대를 유지했다. 하지만 2019년에는 3천억 원대로 떨어진 것으로 추정된다.[15] 최근 들어서는 미·중 무역분쟁, 일본의 수출규제 같은 정치·경제 이슈와 코로나19 영향이 겹치면서 시장이 침체된 상황이다.

다만 앞으로는 미술품 시장 상황이 어떻게 될지 의견이 분분하다. 미술 애호가 입장에서 본다면 여러 경제적 불확실성 때문에 미술품에 대한 관심이 낮아질 수 있다. 반면에 투자 가치 측면에서 본다면 미술품 시장은 아직 세금 부담이 크지 않다.

---

14 원천징수로 과세가 종결되는 방식이다. 예를 들면 인당 연간 2천만 원 이하의 금융소득이나 연간 1,200만 원 이하의 사적연금소득, 복권당첨소득, 일용근로자의 근로소득 등이 분리과세되는 소득이다.

15 「"그림이 안 팔려요"… 꽁꽁 얼어붙은 미술 시장」, 한국경제, 2019. 09. 08.

미술 시장 작품 거래 규모 추이

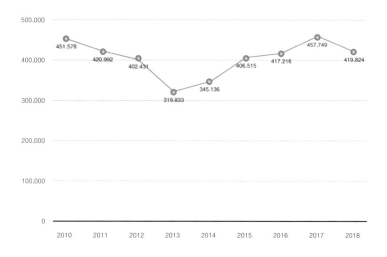

구분	'10년	'11년	'12년	'13년	'14년	'15년	'16년	'17년	'18년
거래 규모 (백만 원)	451,578	420,992	402,431	319,833	345,136	406,515	417,216	457,749	419,824
증감률 (%)	–	-6.8	-4.4	-20.5	7.9	17.8	2.6	9.7	-8.3

출처: K-ARTMARKET

최소 6천만 원 이상인 사후 작가의 그림 등의 양도차익에만 과세하고 있으니 세금이 붙지 않는 미술품이 꽤 많다는 뜻이다. 또한 미술품에는 취득세, 보유세도 없다. 투자 자산으로 본다면 세금이 없다는 것은 굉장히 큰 이점이다.

그동안 미술품은 일부 애호가를 제외하면 관심도가 높지 않았다. 아직은 좀 생소해서 투자 대상으로 바라보는 시각이 거의 형성되지 않았기 때문이다. 하지만 부동산은 이미 많이 올랐고, 금융 상품은 불확실성이 큰 환경이어서 높은 수익률을 기대하기가 어렵다. 게다가 부동산이든 금융 상품이든 투자 이익에는 상당한 세 부담이 발생한다. 금번 세법 개정안에는 2021년 10월부터 비트코인 같은 가상 자산에서 발생한 소득에도 과세하겠다는 내용이 담겼다. 이처럼 과세되는 재산의 종류는 계속 늘어 가는 추세다.

세금은 투자 수익률에 상당한 영향을 미친다. 아무리 세전 이익이 많아도 세금으로 절반 이상을 내고 나면 수익률이 뚝 떨어지기 마련이다. 그래서 미술품의 관심도가 높아질 가능성이 크다. 2020년, 부동산 시장은 여전히 호황이고 증시도 나쁘지 않은 상황이다. 다만 이러한 추세가 언제까지 이어질지는 알 수 없다. 어느 순간 부동산 시장과 주식 시장에 대한 관심도가 낮아지면 미술품 수요가 살아날 가능성이 높다. 유동성은 적지만 가치가 높은 미술품은 VIP 고객이 선호하는 투자 자산으로 성장할 수 있다.

최근 비대면 시장이 성장하면서 미술품 경매시장도 온라인 거래가 활발해지고 있다. 케이옥션, 서울옥션 같은 경매회사에서 점당 200만 원 이하의 저가 미술품이 온라인으로 거래된다. 미술품 경매회사 게이옥션의 올 상반기 200만 원 이하 낙찰작 수는 3,118점이다. 지난해 상반기보다 1,000여 점 이상 많다. 서울옥션에서도 200만 원 이하 작품의 온라인 경매는 코로나

19의 타격을 받지 않았다. 지난해와 같은 수준의 거래량을 보인 가운데 낙찰률은 오히려 상승했다. 국내 미술 시장 전체 거래를 집계하는 한국 미술 시장 정보시스템K-Artmarket의 결산을 통해서도 확인할 수 있다. 상반기 중 전체 미술 시장은 하향세를 보였지만, 온라인 시장의 300만 원 미만 작품 거래는 오히려 소폭 증가했다.[16]

당장 미술 시장의 거래 규모가 큰 폭으로 성장하지는 않더라도 점차 저변이 확대되는 것만은 분명하다. 소액 시장이 활성화되면 점차 고액 미술품으로 확산될 수 있다. 보험 시장도 비슷했다. 과거 60~90년대 우리나라의 보험 대중화에 크게 기여한 상품은 고액 보험이 아니었다. 적은 보험료로 목돈을 모으는 교육보험이나 소액으로 보장을 받는 상해보험, 질병보험 등이 성장의 토대가 되었다. 그러다가 2000년대 초반부터 고소득 전문직과 자산가를 중심으로 종신보험과 연금보험에 고액으로 가입하는 사례가 많아졌다. 미술품 시장도 대중의 관심이 높아지면 저변이 확대되면서 거래 규모가 점차 증가할 것으로 예상된다. 2021년에는 미술품 시장도 다시 증가세로 돌아설 가능성이 높다. 2021년의 미술품 시장을 주목해 보자.

---

16 「200만 원 이하 미술품, 나 혼자 잘나가」, 서울경제, 2020. 8. 25.

4. 돈 쓸 곳 많은 정부, 증세는 필연이다

코로나19의 사회 경제적 영향이 계속되고 있다. 이미 2020년도 국내 경제는 마이너스 성장이 확실시되고 있다. 한국은행의 2020년 8월 경제전망 보고서에서는 국내 경제성장률을 2020년 -1.3%, 2021년 2.8%로 전망했다. 국제통화기금IMF도 2020년 성장률을 -2.1%로 예상했다. 한국개발연구원KDI도 9월 경제전망에서 2020년 국내성장률을 -1.1%로 수정하여 예측하는 등 여타 국내외 연구기관 모두 -1% 이하의 성장률을 예상한다.

사람들이 모이지 않고 외부활동을 줄이면서 온라인을 통한 비대면 거래는 더욱 활성화되었다. 반면 식당이나 PC방, 술집, 숙박업, 여행 관련 업종 등은 상당한 타격을 받았다. 많은 개인사업자와 직장인이 일자리를 잃고 생계를 위협받는 상황이다. 이에 정부에서는 지난 5월 전 국민에게 긴급재난지원금을 지급했고, 9월에는 추가 지원금까지 지급을 마쳤다. 정부에서는 추가 지원금 재원을 대부분 국채로 충당하는 상황이다.

우리나라의 1년 국가 예산은 얼마나 될까? 2019년 12월 10일 열린 국회 본회의에서 통과된 2020년 정부 본예산은 512조 2,504억 원이다. 2019년 본예산 469조 6,000억 원보다 42조 7000억 원(9.1%) 증가했다. 사상 최초로 500조 원을 돌파한 것이다.

그런데 예기치 못한 코로나19가 발생하면서 추가경정예산이 편성되었다. 먼저 올해 3월 대구 · 경북 코로나19 대응을 위해서 11조 7,000억 원의 추경이 편성되었다. 4월에는 4인 가구 기준 100만 원의 전 국민 긴급재난지원금을 지급하기 위해 12조 2,000억 원 규모로 2차 추경을 집행했다. 경제 취약계층의 어려움이 계속되자 7월에는 역대 최대인 24조 1,000억 원 규모의 3차 추경을 마련했다. 여기에 9월에는 4차 추경안까지 편성되었다.

정부는 점점 돈 쓸 곳이 많아지고 있다. 최근 코로나19가 아니더라도 보건, 복지, 일자리 창출 등에 예산을 점점 늘리는 상황이다. 이러한 복지예산은 정부 전체 예산의 1/3 이상을 차지한다. 또한 경기가 나빠지면 경기 부양을 위한 사회간접자본 확충 예산도 늘어나게 된다. 국방, 환경, 에너지 등의 예산도 계속 증가하고 있다.

써야 할 돈이 많으면 정부도 돈을 마련해야 한다. 그렇다고 돈을 마구 찍어 낼 수는 없다. 인플레이션 등 대내외 경제에 미치는 부작용도 함께 고려해야 하기 때문이다. 찍어 내지 않고 정부가 돈을 마련하는 다른 방법은 세금이다.

우리나라의 조세는 14개의 국세와 11개의 지방세로 구성되어 있다. 전체 세수에서 가장 많은 비중을 차지하는 세목은 개인의 소득에 부과되는 소득세다. 그다음이 법인세, 부가가치세 순이다. 소득이 있는 개인이나 법인에게 직접 부과되는 소득세와 법인세를 직접세라고 한다. 이와 반대로 일상 생활에서 소비하는 재화와 서비스에 붙는 세금인 부가가치세를 간접세라고 한

2020년 정부 부처별 예산 현황

단위: 천억 원

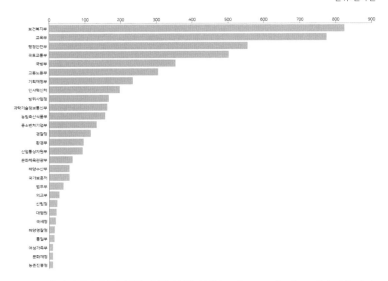

출처: 기획재정부 열린재정 재정정보공개시스템, http://www.openfiscaldata.go.kr/portal/main.do

다. 직접세인 소득세와 법인세 비중이 높아지고 간접세인 부가 가치세 비중이 낮아지는 현상은 바람직하다. 부가가치세는 담세 력[17]에 관계없이 최종적으로 재화를 소비하는 자에게 부과되기 때문에 납세자의 재산이나 소득 등을 반영하지 못한다.

    2020년과 같은 환경에서는 전반적으로 소비도 줄고 법인과 개인의 소득도 낮아질 가능성이 높다. 따라서 세수 감소가 예상

---

17   담세력(擔稅力)이란 조세를 부담할 수 있는 능력을 뜻한다. 담세력이 있는 자에게 조세 를 부과해야 한다는 응능부담의 원칙을 조세에 적용하기 위한 개념이다. 개개인의 담세 력을 측정하기는 매우 어렵기 때문에 보통 납세자의 소득, 재산, 소비를 기초로 하여 세 금을 부과한다.

2018년도 세목별 국세 세수 실적

세목	금액 (단위: 백만 원)	비중
소득세	86,288,670	30.4%
법인세	70,937,351	25.0%
부가가치세	70,009,108	24.7%
상속세	2,831,509	1.0%
증여세	4,527,368	1.6%
교통 · 에너지 · 환경세	15,334,854	5.4%
교육세	5,097,573	1.8%
농어촌특별세	3,198,948	1.1%
종합부동산세	1,872,762	0.7%
기타	23,437,375	8.3%
국세 합계	283,535,518	100.0%

출처: 2019 국세통계연보

된다.[18] 그러면 정부는 수입에 비해 돈 씀씀이가 커진다. 수입보다 지출이 더 많으면 차액은 어떻게 메꿔야 할까? 그렇다. 바로 부채다. 국가도 차입을 통해 자금을 마련한다. 세금 외에 정부가 돈을 마련하는 다른 방법은 국채를 발행해서 민간의 돈을 끌어 쓰는 것이다. 바로 현재 같은 상황에서 국가는 국채를 계속 발행하고 결과적으로 정부 부채는 증가한다.

---

18 기획재정부가 발표한 「월간 재정동향 2020년 9월호」에 따르면 '20년 1~7월 누계 국세 수입은 168.5조 원으로 전년 동기 대비 20.8조 원 감소했다.

흔히 국가 부채 규모를 GDP와 대비해서 말한다. 2020년 9월 정부가 국회에 제출한 '2020~2024년 국가 채무 관리계획'에 따르면 2021년 예상 국가 채무 945조 원 가운데 국민의 세금으로 갚아야 하는 적자성 국가 채무는 593조 원을 넘어섰다. 2024년에는 900조 원에 육박한다고 예상한다. 우리나라 2019년 명목 국내총생산GDP은 1,919조 원이다. 2022년에는 국가 채무가 1,070조 원에 이르고 GDP 대비 국가 채무비율이 거의 50.9%에 이를 것이라는 전망이 있다.[19]

여기서 우리가 예측할 수 있는 사실은 당분간 국채 발행으로 국가 채무도 늘어나겠지만 세수 확대를 통한 예산 확보도 병행될 가능성이 높다는 점이다. 이미 2020년 세법 개정안에는 세수 확대를 위한 내용이 많이 담겨 있다. 개인 소득세 최고세율을 현행 42%에서 45%(과세표준 10억 원 초과 구간)로 인상하는 내용, 주택 등 부동산에 전반적으로 과세를 강화하는 내용, 금융투자소득을 신설하여 상장주식 매매차익에 과세하겠다는 내용, 개인유사법인[20]의 초과 유보소득에 배당소득세를 과세한다는 내용 등이다.

---

19 「문 정부 출범 때 36% 국가 채무비율, 마칠 땐 50% 넘는다」, 중앙일보, 2020. 9. 2.

20 개인유사법인이란 본인 및 특수관계자(주로 가족 및 친족 등을 의미)의 주식 보유 비율이 80% 이상인 법인을 뜻한다. 세법 개정안에는 이러한 법인이 매년 벌어들인 소득 중 일정 수준(대략적으로 연간 벌어들인 이익의 50%와 자기자본의 10% 중 큰 금액)을 초과한 부분에는 배당을 하지 않더라도 배당소득세를 과세하겠다는 내용이 담겨 있다.

국세 예산 및 세수 실적

단위: 백만 원

구분	예산액 (1)	징수결정액 (2)	수납액 (3)	불납결손액 (4)	미수납액 (5 = 2 - 3 - 4)	비율 (6 = 3 / 1)
2014년	204,926,300	221,054,200	195,727,144	2,968,017	22,359,039	95.5
2015년	205,966,900	237,000,348	208,161,525	2,322,218	26,516,605	101.1
2016년	223,255,300	266,790,601	233,329,122	2,885,885	30,575,594	104.5
2017년	240,837,600	293,303,150	255,593,190	3,388,083	34,321,877	106.1
2018년	257,481,000	325,413,413	283,535,518	3,916,069	37,961,826	110.1

출처: 2019 국세통계연보

국세 통계를 보면 정부의 세수 예산 목표액은 2014년 204.9조 원에서 2018년 257.5조 원으로 약 25.6% 증가했다. 실제 징수된 금액은 2014년 195.7조 원에서 2018년 283.5조 원으로 약 44.9% 증가했다.

향후 더 많은 예산을 집행하려면 더 많이 걷을 수밖에 없다.[21] 입법 과정을 통해 세법 규정도 강화되지만, 자산가와 사업가가 더 걱정하는 것은 세무조사를 통한 세금 추징이다. 지난 몇 년간 법인의 세무조사 추징액은 감소하는 경향을 보였다. 반면에 개인 추징액이 크게 늘어나는 추세다. 정부가 법인보다는 개

---

21 우리나라의 2019년 조세 부담률(GDP 대비 조세 부담액) 잠정치는 19.9%로 OECD 평균인 24.9%보다는 낮은 수준이지만, 매년 수치가 높아지고 있다.

인의 탈세에 더 중점을 두었다는 점을 알 수 있다.

세무조사 추징액

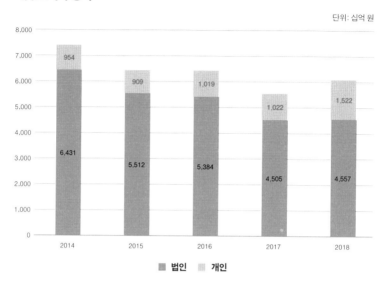

단위: 십억 원

출처: 2019 국세통계연보

　　앞으로 법인과 개인의 세무조사가 늘어날 가능성도 배제할 수 없다. 하지만 세무조사 추징만으로 필요한 예산을 충분히 확보하기는 어렵다. 2018년에는 법인에서 4.56조 원, 개인에서 1.52조 원을 추징했으나 전체 예산 규모에 비하면 큰 금액이라고 볼 수 없다. 따라서 국채 발행과 함께 국민의 전반적인 세 부담을 증가시키는 보편적 증세 논의가 활발해질 것으로 보인다.

5. 증여 행렬은 계속된다

국세 통계를 보면 매년 꾸준하게 증가하는 항목이 있다. 바로 증여 건수와 증여재산가액이다. 2018년의 증여 신고 건수는 145천 건이고 증여재산가액은 27.4조 원에 이른다. 건당 평균 증여재산가액도 1.89억 원으로 2014년의 1.45억보다 30% 이상 증가했다.

증여가 지속적으로 증가하는 이유는 무엇일까? 우선 상속세를 대비하려는 목적이 가장 크다. 미리 증여하면 추후 상속세를 낮출 수 있기 때문이다. 2018년도에 상속세를 신고한 인원은 피상속인 기준 8,449명이며 총상속재산가액은 20.57조 원에 달한다. 이는 2014년 10.83조 원보다 거의 2배로 증가한 숫자다.

2014~2018년 상속세, 증여세 신고 추이

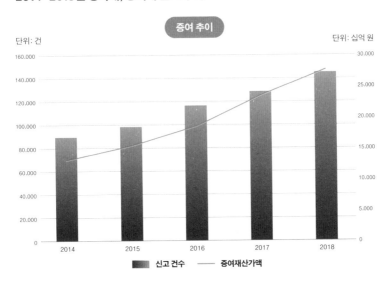

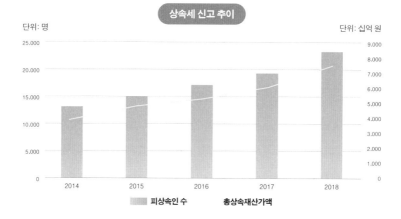

상속세 신고 추이

피상속인 수 　　총상속재산가액

　　그러면 왜 상속 대신 증여를 택할까? 상속세와 증여세의 과세체계 차이 때문이다. 상속세나 증여세의 세율체계는 동일하다. 과세표준을 기준으로 1억까지는 10%, 1억~5억은 20%, 5억~10억은 30%, 10억~30억은 40%, 30억 초과분은 50%를 적용한다. 그런데 두 가지 중요한 차이점이 있다.

　　첫째, 상속세는 유산세 방식으로 피상속인의 전 재산을 기준으로 과세한다. 증여세는 유산취득세 방식으로 기존 재산이 아닌 받은 재산에만 과세한다.[22] 쉽게 말해 상속세는 재산 전체에 세금을 계산하기 때문에 더 높은 세율이 적용될 가능성이 높다.

　　둘째, 상속세에는 배우자공제 5~30억 원, 일괄공제 5억 원 이외에도 기초공제, 기타인적공제, 금융재산상속공제, 가업상속공제 등 많은 공제제도가 있다. 이에 비해 증여세에는 배우자공

22　동일인에게 과거 10년간 받은 재산은 합산하여 증여세를 과세함

제 6억 원, 직계존비속 간 증여공제 5천만 원(미성년은 2천만 원),
기타친족공제 1천만 원 외에는 별다른 공제가 없다.

두 가지 차이점을 모두 고려하면 증여가 반드시 유리하지만
은 않다. 재산가액이 많지 않다면 상속을 하는 편이 낫다. 배우
자공제, 일괄공제 등 각종 공제를 받을 수 있기 때문이다. 그런
데 재산이 많다면 재산 대부분에 최고세율인 50%가 적용되어
재산의 거의 절반을 상속세로 내야 한다. 이때 상속세율보다 낮
은 10~40% 세율이 적용되는 구간에서 증여를 하면 세금을 줄
일 수 있다.

재산을 전부 상속하는 경우와 일부를 증여하는 경우의 세 부
담을 비교해 보자.(상속인은 배우자와 성년 자녀 2명이라고 가정함)

사례 1: 총재산이 100억인 경우 '전부 상속' vs '20억 증여 & 80억 상속'

① 100억 원 전부 상속

단위: 천 원

	금액
본인재산가액	10,000,000
(−) 배우자공제	3,000,000
(−) 일괄공제	500,000
상속세 과세표준	6,500,000
(×) 세율	50%
(−) 누진공제액	460,000
(=) 산출세액	2,790,000
(−) 신고세액공제	83,700
(=) 납부세액	2,706,300

② 20억 증여 & 80억 상속

<table>
<tr><td colspan="2" align="right">단위: 천 원</td></tr>
<tr><td></td><td>금액</td></tr>
<tr><td>증여재산가액</td><td>2,000,000</td></tr>
<tr><td>(−) 증여재산공제</td><td>50,000</td></tr>
<tr><td>(=) 증여세 과세표준</td><td>1,950,000</td></tr>
<tr><td>(×) 세율</td><td>40%</td></tr>
<tr><td>(−) 누진공제액</td><td>160,000</td></tr>
<tr><td>(=) 산출세액</td><td>620,000</td></tr>
<tr><td>(−) 신고세액공제</td><td>18,600</td></tr>
<tr><td>(=) 납부세액</td><td>601,400</td></tr>
</table>

<table>
<tr><td colspan="2" align="right">단위: 천 원</td></tr>
<tr><td></td><td>금액</td></tr>
<tr><td>본인재산가액</td><td>8,000,000</td></tr>
<tr><td>(−) 배우자공제</td><td>3,000,000</td></tr>
<tr><td>(−) 일괄공제</td><td>500,000</td></tr>
<tr><td>상속세 과세표준</td><td>4,500,000</td></tr>
<tr><td>(×) 세율</td><td>50%</td></tr>
<tr><td>(−) 누진공제액</td><td>460,000</td></tr>
<tr><td>(=) 산출세액</td><td>1,790,000</td></tr>
<tr><td>(−) 신고세액공제</td><td>53,700</td></tr>
<tr><td>(=) 납부세액</td><td>1,736,300</td></tr>
</table>

※ 증여세 및 상속세 합계: 601,400천 원 + 1,736,300천 원 = 2,337,700천 원
→ 1안(100억 원 전부 상속)보다 2안(20억 증여 & 80억 상속)이 유리!

사례 2: 총재산이 20억인 경우 '전부 상속' vs '10억 증여 & 10억 상속'

① 20억 원 전부 상속

<table>
<tr><td colspan="2" align="right">단위: 천 원</td></tr>
<tr><td></td><td>금액</td></tr>
<tr><td>본인재산가액</td><td>2,000,000</td></tr>
<tr><td>(−) 배우자공제</td><td>857,143</td></tr>
<tr><td>(−) 일괄공제</td><td>500,000</td></tr>
<tr><td>상속세 과세표준</td><td>642,857</td></tr>
<tr><td>(×) 세율</td><td>30%</td></tr>
<tr><td>(−) 누진공제액</td><td>60,000</td></tr>
<tr><td>(=) 산출세액</td><td>132,857</td></tr>
<tr><td>(−) 신고세액공제</td><td>3,986</td></tr>
<tr><td>(=) 납부세액</td><td>128,871</td></tr>
</table>

② 10억 원 증여 & 10억 원 상속

단위: 천 원

	금액
증여재산가액	1,000,000
(−) 증여재산공제	50,000
(=) 증여세 과세표준	950,000
(×) 세율	30%
(−) 누진공제액	60,000
(=) 산출세액	225,000
(−) 신고세액공제	6,750
(=) 납부세액	218,250

단위: 천 원

	금액
본인재산가액	1,000,000
(−) 배우자공제	500,000
(−) 일괄공제	500,000
상속세 과세표준	−
(×) 세율	10%
(−) 누진공제액	−
(=) 산출세액	−
(−) 신고세액공제	−
(=) 납부세액	−

※ 증여세 및 상속세 합계: 218,250천 원 + 0 = 218,250천 원
→1안(20억 원 전부 상속)이 2안(10억 증여 & 10억 상속)보다 유리!

예상 상속세율이 40~50% 정도로 높은 경우에는 증여가 유리하다. 하지만 재산가액이 20억 원 미만이라면 전부 상속을 하더라도 세 부담이 크지 않으므로 군이 상속세 때문에 증여할 필요는 없다.

예전에는 부모와 자식 간에 상속세 논의가 금기시되었다. 그래서 증여도 활성화되기 어려웠다. 이제는 인식이 점차 바뀌고 있으며 증여세 신고 통계에서 보듯 사전 증여가 증가하는 추세다. 앞으로도 계속 늘어날 전망이다.

하나금융의 '2020 Korean Wealth Report'에 따르면 부자들의 77.7%가 자녀에게 증여하였거나 할 계획이 있다고 응답했다. 부자들은 일반적으로 자녀가 평균 34.9세일 때 증여하였거

나 증여하겠다고 답했는데 구체적인 분포를 살펴보면 결혼 적령기인 20~30대가 45.9%로 가장 많았고 40대 28.0%, 50대 이상 17.5%, 20대 미만 8.5%순으로 나타났다. 한편 자녀들에게 증여하였거나 증여할 부자들의 평균 나이는 65.2세였고 구체적인 분포는 70대 35.4%, 60대가 31.4%로 60~70대 비중이 높았다. 인식이 달라지면서 증여를 하려는 부모의 연령도 점차 낮아질 전망이다.

　갈수록 편법 증여는 어려워지고 있다. 세법이 촘촘하게 강화되고 있고 현금이나 금 실물을 통한 상속도 쉽지 않기 때문이다. 과거에는 증여를 하면 당장 세금을 내야 하기 때문에 아까워하는 경우가 많았다. 하지만 이제는 부자들도 합법적인 테두리 내에서 미리 증여를 실행에 옮기고 있다. 그만큼 사회 인식이 변화했음을 알 수 있다. 또한 사전 증여 이외에 뾰족한 상속세 절세 수단이 없다는 점에서 앞으로도 증여의 꾸준한 증가가 예상된다.

5장을 마치며

VIP 시장은 여전히 매력적이다

코로나19는 사회 경제적으로 많은 영향을 미치고 있다. 소비자를 대면하거나 사람들이 밀집하는 업종은 전보다 어렵다고 한다. 반면에 소비자를 직접 만나지 않아도 되는 사업은 오히려 잘된다. 모두가 다 어려운 것은 아니라는 얘기다. 상대적으로 영세한 개인사업자가 하는 업종은 힘든 경우가 많지만, 법인 경영자를 만나 보면 전과 비슷하거나 더 나아진 경우도 종종 본다.

경제성장률GDP을 보아도 각 전문기관의 2020년 성장률 전망치는 대체적으로 전년 대비 -1%~-2% 정도다. 물론 이 수치가 좋다는 뜻은 아니다. 하지만 방송이나 신문기사에서 심각성을 과도하게 부각시킨 측면도 크다. 경제 전체로 보면 우리나라 경제는 조금 나빠졌을 뿐이다. 1990년대 후반 IMF 사태와 같은 중대한 타격은 아니라는 뜻이다.

특히 법인이나 부유층 자산가 시장은 상대적으로 견고하다. 이들이 하는 사업은 어느 정도 규모가 있고 안정적인 거래처가 있다. 최종 소비재보다는 중간 소비재를 생산하거나 판매하는 경우가 많고 고객도 일반 소비자보다는 법인이나 도소매상 같은 상인인 경우가 많다. 개인 자산가들은 상업용 부동산을 통해 안정적인 임대 수입이 있거나 금융 기관에서 목돈을 굴리는 경우가 많다. 최근 부동산 가격이 많이 올랐다. 주택 가격은 물론이고 꼬마빌딩 같은 수십 억대 이상의 상업용 부동산도 불과 몇 년 전보다 2배 이상으로 뛴 경우가 흔하다.

고객은 항상 현재 상황이 어렵다고 말한다. 10년 전에도 그랬고 지금도 그렇게 얘기한다. 앞으로도 그럴 것이다. 사회 경제적 이슈가 있을 때는 누구나 막연한 불안감을 느끼기 마련이다. 일반인뿐만 아니라 부자도 마찬가지다. 하지만 겉으로 보이는 모습이 다라고 생각하면 안 된다. 그들이 불안해하면서도 필요로 하는 것을 제안한다면 여전히 좋은 성과를 얻을 수 있다.

예를 들어 앞으로 세금이 더 오를 거라고 막연하게 불안해하는 법인 CEO 고객이 있다면 2020년 말 이전에 초과배당을 실행하거나, 아니면 자녀에게 주식을 더 증여하여 내년에 초과배당 대신 균등배당을 하는 방안을 제안할 수도 있다. 주식 투자 수익이 많은 고객에게는 종신보험을 활용한 보험차익 비과세 플랜을 제안해 향후 금융투자소득의 과세에 대응하도록 도울 수도 있다.

부자들은 현재 사업에 다소 어려움이 있더라도 생계가 위협받지는 않는다. 가치가 있는 일이라면 기꺼이 하려는 생각을 갖고 있다. FP가 가치를 어떻게 전달하느냐의 문제일 뿐이다. 컨설턴트 입장에서 준비해야 할 내용이 크게 달라지지도 않는다. 부자 고객들이 필요로 하는 상속·증여, 법인·개인의 세금 문제, 투자(시장의 돈 흐름), 부동산 등의 정보를 꾸준히 수집하고 활용해야 한다. 전문가와 협업을 통한 접근도 좋은 방법이다. 영업 환경이 이전보다 쉽지 않지만 FP가 충분한 가치를 제공한다면 고객도 마다할 이유가 없다. 시장 환경을 탓하기보다는 어떤 가치를 제공할지 고민할 때다. VIP 시장은 여전히 매력적이다.

에
필
로
그

위기는 기회일까?

지난 토요일이었다. 늦은 저녁 아내는 노트북으로 계 모임을 한다고 했다. 고등학교 동창 모임인데 코로나 사태 이후로 못 하다가 화상회의 프로그램을 통해 다시 만난다고 했다. 문자와 전화로만 소통하다 다 같이 얼굴 보며 얘기하자고 누군가 제안했다고 한다. 아내는 이미 독서모임 하나를 '줌'으로 하고 있었기에 별 거부감이 없었다. 실제 만나 대화하는 느낌과 똑같지는 않지만, 각자 집에서 할 수 있으니 나름 괜찮은 모양이다.

아이들은 등교하지 않고 집에서 공부하는 날이 많아졌다. 원래라면 학교에서 받았을 수업을 집에서 화상으로 진행한다. 학교뿐만 아니라 학원 수업도 일부는 비대면이다. 나 역시 지난 6월에 줌으로 상의하는 경험을 처음 해 봤다. 이처럼 어른 아이 할 것 없이 삶의 방식은 바뀌고 있다.

2020년은 단연 '코로나'의 해였다. 어쩌다 이런 일이 생겼는지, 어떤 영향이 있고 향후 어떻게 대처해야 하는지 연일 언론에서 다룬다. 코로나19가 만든 삶의 환경도 힘들지만, 관련 뉴스가 마음을 한 번 더 어지럽게 한다. 무엇을 얘기하든 '기승전 · 코로나'다. 그러다 문득 궁금해지는 사항이 있다. 코로나 사태 이전에는 어떤 테마가 우리 사회의 주요 관심사였을까? 여러 가지가 있겠지만 '4차 산업혁명'이 떠오른다.

온라인 서점 예스24에서 '4차 산업혁명'을 검색하면 총 1,349건이 나온다.(2020년 11월 1일 기준) 그럼 '코로나'를 검색하면 몇 건이 뜰까? 1,651건이다. 우리 사회가 4차 산업혁명보다 코로나에 더 민감하게 반응했다는 뜻이다. 4차 산업혁명은 미래 변화를 향한 궁금증이지만, 코로나는 당장 생존의 문제를 묻고 있기 때문일까?

이제 모든 사회, 경제, 문화 현상을 설명하려면 '코로나' 세 글자를 써야만 한다. 코로나는 재택 근무를 일상으로 만들었고 외식 문화를 바꿨다. 극장에서 관람하던 영화도 이제는 집에서 넷플릭스로 본다. 국가 간 이동 제한은 여행 산업을 끝 모를 불황의 나락으로 떨어트렸다.

또 하나 중요한 점이 있다. 코로나19 사태는 많은 것을 바꾸어 놓은 동시에 변화의 명분도 된다는 사실이다. 택배기사 대신 드론을 이용한 배달, 운전기사를 대신할 자율주행차 등등….

사람을 대신할 기술은 앞으로 빠르게 개발될 것이다. 관련 산업의 대량 실업이 기술 실현을 늦추는 심리적 저항선이 되었지만, 코로나는 반대 논리를 한 방에 날려 버렸다. 사람 간 접촉을 대신할 언택트 기술은 이제 어느 분야에서든 가장 큰 관심사가 되었다. 금융회사도 예외가 아니다. 사람과 사람이 만나 하던 일을 언택트로 전환할 방법을 찾으려고 한다. 온전한 대체가 쉽지는 않겠지만, 분명 과거와는 다른 양상이 예상된다. 결국 영업 환경은 이전과 달라질 전망이다.

이번 금융 영업 트렌드를 정리하며 발견한 사실이 하나 있다. 4장 부동산 트렌드와 5장 VIP 마켓 트렌드에는 '코로나' 이슈가 없다. 의심이 가는 독자라면 책 앞의 머리말을 다시 확인해 보라. 1장부터 3장까지 다룬 보험 산업, 보험 상품, 투자 상품에는 '코로나'가 있지만, 부동산과 VIP 마켓에는 없다. 물론 4장과 5장의 성격상 특별한 '코로나' 이슈가 없었을 수도 있다. 하지만 다른 측면도 생각해 봐야 한다. 부동산과 VIP 마켓에서는 '코로나'가 상대적으로 중요한 이슈가 아니라는 뜻이다.

해당 분야는 모두 VIP 고객이 주로 관심 가지는 주제다. 부동산은 누구에게나 중요하지만, 4장에는 특히 VIP 고객이 관심을 가질 만한 내용이 주로 들어 있다. 이 대목이 시사하는 바는 명확하다. VIP 시장이 더 굳건하다는 뜻이다. 과거의 경제 위기들을 한번 돌아보자. IMF와 금융 위기가 있었지만, VIP들의 자산은 그 기간에 더욱 증가했다. 지금 상황도 대다수 VIP에게는 그때와 비슷할 것이다.

지난 10월 25일 연합뉴스에 따르면 수입차 판매가 증가했다고 한다. 9월까지 1억 원 이상 수입차가 3만 929대 판매되었다. 우리나라에서 3분기 만에 3만대 돌파는 최초라고 한다. 전년 대비 64%나 증가한 수치다. 무려 50%가 넘는 숫자다. 코로나19로 경제가 어렵다고 하지만, 대한민국 VIP는 힘들지 않다는 뜻이다.

영업인으로서 바라봐야 하는 시장은 한층 더 분명해졌다. 우리가 만나는 고객이 양극화되어 가듯 영업인도 양극화되어 갈지 모른다. 언택트 시대에 대면 접촉은 줄어들 수밖에 없다. 또한 플랫폼 강자의 보험업 진출은 우리를 더욱 힘들게 할 전망이다. 특히 VIP 시장이 아닌 일반 시장의 영업인에게는 상대적으로 더 큰 위기가 될 수 있다.

언택트 시대에는 그에 맞는 영업 기술이 필요해 보인다. 그리고 주력 시장의 특화 전략도 다시 생각해 봐야 한다. 언택트 시대가 될수록 VIP 시장의 가치는 더 커질 것이다.

위기는 곧 기회다. 우리는 종종 이 말을 쓴다. 위기 속에서 기회를 찾고자 하는 바람이 담긴 표현이다. 그리고 실제 역사를 보면 위기 속에서 기회가 자라나기 마련이었다. 그런데 위기는 정말 '모두'에게 기회일까? 아니다. 누군가에게는 기회로 작용하겠지만, 또 다른 이에게는 실패로 가는 길일 뿐이다.

지금의 위기를 기회로 만드는 것은 결국 각자의 몫이다. 그럼 기회의 문을 여는 열쇠의 이름은 무엇일까? 나는 모른다. 누구도 함부로 정답을 제시할 수는 없을 것이다. 하지만 답을 찾는 시도를 지금 우리는 해야 한다.

다시 한번 묻고 싶다. 위기는 기회일까? 2020년은 인류사에 어떤 해로 기억될까? 이런 거창한 질문이 아니라 영업 현장에서 뛰고 있는 나와 여러분에게 화두를 던지고 싶다. 2021년은 당신에게 어떤 해로 기억될까?

새로운 기회의 문을 발견하기를 소망한다.

엮은이 공민호

금융 영업 트렌드 2021

초판 1쇄 펴냄	2020년 12월 3일

지은이	권인규, 김승동, 이동재, 이종헌, 정성훈
엮은이	공민호
펴낸이	최나미
편집	김동욱
표지디자인	디자인오투
본문디자인	이솔이
경영지원	고민정

펴낸곳	한월북스
출판등록	2017년 7월 13일 제2017-000007호

주소	서울시 강남구 광평로 56길 10, 광인빌딩 4층 (수서동)
전화	070-7643-0012
팩스	0504-324-7100
이메일	hanwalbooks@naver.com

ISBN 979-11-972081-1-9 03320

이 도서의 국립중앙도서관 출판예정도서목록(CIP)은 서지정보유통지원시스템 홈페이지
(http://seoji.nl.go.kr)와 국가자료종합목록 구축시스템(http://kolis-net.nl.go.kr)에서 이용하실
수 있습니다.
CIP제어번호 : CIP2020048675